ACCESO GRATIS *a la Lectura en la Nube*

Para visualizar el libro electrónico en la nube de lectura envíe junto a su nombre y apellidos una fotografía del código de barras situado en la contraportada del libro y otra del ticket de compra a la dirección:

ebooktirant@tirant.com

En un máximo de 72 horas laborales le enviaremos el código de acceso con sus instrucciones.

La visualización del libro en **NUBE DE LECTURA** excluye los usos bibliotecarios y públicos que puedan poner el archivo electrónico a disposición de una comunidad de lectores. Se permite tan solo un uso individual y privado

Y parece que fue ayer...

La legislatura del agotamiento del cambio

COMITÉ CIENTÍFICO DE LA EDITORIAL TIRANT LO BLANCH

María José Añón Roig
Catedrática de Filosofía del Derecho de la Universidad de Valencia

Ana Cañizares Laso
Catedrática de Derecho Civil de la Universidad de Málaga

Jorge A. Cerdio Herrán
Catedrático de Teoría y Filosofía del Derecho Instituto Tecnológico Autónomo de México

José Ramón Cossío Díaz
Ministro en retiro de la Suprema Corte de Justicia de la Nación y miembro de El Colegio Nacional

María Luisa Cuerda Arnau
Catedrática de Derecho Penal de la Universidad Jaume I de Castellón

Manuel Díaz Martínez
Catedrático de Derecho Procesal de la UNED

Carmen Domínguez Hidalgo
Catedrática de Derecho Civil de la Pontificia Universidad Católica de Chile

Eduardo Ferrer Mac-Gregor Poisot
Juez de la Corte Interamericana de Derechos Humanos Investigador del Instituto de Investigaciones Jurídicas de la UNAM

Owen Fiss
Catedrático emérito de Teoría del Derecho de la Universidad de Yale (EEUU)

José Antonio García-Cruces González
Catedrático de Derecho Mercantil de la UNED

José Luis González Cussac
Catedrático de Derecho Penal de la Universidad de Valencia

Luis López Guerra
Catedrático de Derecho Constitucional de la Universidad Carlos III de Madrid

Ángel M. López y López
Catedrático de Derecho Civil de la Universidad de Sevilla

Marta Lorente Sariñena
Catedrática de Historia del Derecho de la Universidad Autónoma de Madrid

Javier de Lucas Martín
Catedrático de Filosofía del Derecho y Filosofía Política de la Universidad de Valencia

Víctor Moreno Catena
Catedrático de Derecho Procesal de la Universidad Carlos III de Madrid

Francisco Muñoz Conde
Catedrático de Derecho Penal de la Universidad Pablo de Olavide de Sevilla

Angelika Nussberger
Catedrática de Derecho Constitucional e Internacional en la Universidad de Colonia (Alemania). Miembro de la Comisión de Venecia

Héctor Olasolo Alonso
Catedrático de Derecho Internacional de la Universidad del Rosario (Colombia) y Presidente del Instituto Ibero-Americano de La Haya (Holanda)

Luciano Parejo Alfonso
Catedrático de Derecho Administrativo de la Universidad Carlos III de Madrid

Consuelo Ramón Chornet
Catedrática de Derecho Internacional Público y Relaciones Internacionales de la Universidad de Valencia

Tomás Sala Franco
Catedrático de Derecho del Trabajo y de la Seguridad Social de la Universidad de Valencia

Ignacio Sancho Gargallo
Magistrado de la Sala Primera (Civil) del Tribunal Supremo de España

Elisa Speckman Guerra
Directora del Instituto de Investigaciones Históricas de la UNAM

Ruth Zimmerling
Catedrática de Ciencia Política de la Universidad de Mainz (Alemania)

Fueron miembros de este Comité:
Emilio Beltrán Sánchez, Rosario Valpuesta Fernández y **Tomás S. Vives Antón**

Procedimiento de selección de originales, ver página web:
www.tirant.net/index.php/editorial/procedimiento-de-seleccion-de-originales

Y parece que fue ayer…

La legislatura del agotamiento del cambio

ANDRÉS OLLERO

tirant lo blanch
Valencia, 2026

Copyright ® 2026

Todos los derechos reservados. Ni la totalidad ni parte de este libro puede reproducirse o transmitirse por ningún procedimiento electrónico o mecánico, incluyendo fotocopia, grabación magnética, o cualquier almacenamiento de información y sistema de recuperación sin permiso escrito del autor y del editor.

En caso de erratas y actualizaciones, la Editorial Tirant lo Blanch publicará la pertinente corrección en la página web www.tirant.com.

© Andrés Ollero

© TIRANT LO BLANCH
EDITA: TIRANT LO BLANCH
C/ Artes Gráficas, 14 - 46010 - Valencia
TELFS.: 96/361 00 48 - 50
FAX: 96/369 41 51
Email: tlb@tirant.com
www.tirant.com
Librería virtual: www.tirant.es
DEPÓSITO LEGAL: V-1135-2026
ISBN: 979-13-7040-374-4
MAQUETA: Innovatext

Si tiene alguna queja o sugerencia, envíenos un mail a: *atencioncliente@tirant.com*. En caso de no ser atendida su sugerencia, por favor, lea en *www.tirant.net/index.php/empresa/politicas-de-empresa* nuestro Procedimiento de quejas.

Responsabilidad Social Corporativa: *http://www.tirant.net/Docs/RSCTirant.pdf*

Índice

Capítulo I

UN 92 DIGNO DE SER RECORDADO

Capítulo II

LOS PROBLEMAS DEL MUNDO EDUCATIVO

Capítulo III

UNA REFORMA UNIVERSITARIA INTERMINABLE

Capítulo IV

Capítulo I
UN 92 DIGNO DE SER RECORDADO

LOS FASTOS DE LA EXPO

Que la historia se repite ha llegado a convertirse en tópico literario, pero, quizá por el tópico rival —cualquier tiempo pasado fue mejor— no llega a experimentarse como realidad. Tendemos a escandalizarnos, no sin razón, ante comportamientos políticos rechazables, con la sensación de que parecía impensable que se pudiera llegar a estos extremos. La corrupción, desgraciadamente presente de modo endémico entre los que tocan poder, parece haber llegado a cobrar una vía nepotista en alturas insospechadas.

Las hubo igualmente —de corrupción y nepotismo en primer grado— en etapas anteriores. Basta recordar el caso Juan Guerra, que dejó tocado a su hermano. Apenas oí a este hablar ante el pleno del Congreso en mi primera legislatura —la del 86— salvo una intervención del 4 de marzo del 87, para explicar haber fletado un avión para poder acudir a una corrida de toros; otra —días después— con motivo de la moción de censura protagonizada sin éxito por Hernández Mancha y algunas respuestas a preguntas orales.

Sí me queda especial recuerdo, ya en la legislatura del 89, de su pesarosa intervención del 1 de febrero de 1990 sobre las andanzas de su hermano en sede oficial. Sonaba ya a despedida, porque había pasado de la foto de la ventana del hotel *Palace* a un peculiar status —no quedaba claro si amortizado o embalsamado— reducido a la presidencia de la Comisión Constitucional del Congreso. Se había sembrado ya lo que culminaría en la selva andaluza de la FAFFE, con cuñados por doquier, y pronto Roldán batería récords, antes de que Ábalos popularizara a sus sobrinas.

Todo lo superable se ha ido viendo superado. Comportamientos socialmente rechazables, como los de ricachones con escasos escrúpulos, —que se permitían poner un piso a la amante de turno— se ven ahora imitados. Queda así de relieve que con dinero público —que según alguna no es de nadie— todo vale; al menos para quienes no han hecho otra cosa que vivir de la política, o de los comisiones y cohechos que van floreciendo en su entorno. Para colmo, se hacen fuertes ante la justicia, amparados por privilegiados aforamientos; frutos incluso de todo un planteamiento artesanal, provocando dimisiones o renuncias de forzada complicidad.

Dada mi edad, tuve la oportunidad de ser testigo de algunas etapas anteriores, como aquella última del gonzalato, de la que hoy se recuerdan solo aspectos positivos. La novedosa situación ha llegado a represtigiar a quienes —por entonces, tan vilipendiados como los de ahora— se benefician del eficaz indulto del olvido. Bien es verdad que da la impresión de que ha ido cuajando un acostumbramiento, que facilita en la sociedad mayores tragaderas. Hace ahora cinco lustros había comenzado ya a haber altos cargos en la cárcel, pero todavía nadie consideraba constitucional una amnistía.

Se habla hoy, como de una novedad, de que se *colonizan* las instituciones o de que en los ámbitos del poder se miente a mansalva. Como si lo de engañar en el parlamento no tuviera precedente. Me remitiré en estas páginas a solo dos legislaturas.

No soy un asiduo lector de Neruda, pero confieso que he vivido. He experimentado situaciones que ni se me habían pasado por la cabeza. Entre otras, haber tenido el honor de representar a mis conciudadanos durante más de diecisiete años y haberme ido de la política sin ocupar ningún cargo que no fuera fruto de sus votos.

Me basta situarme en esas dos de las cinco legislaturas que he de agradecerles —las últimas que viví desde la oposición— para encontrar no pocos precedentes de lo que hoy parece espantar. Me refiero a la que acabó en el 1993 y —con alguna propina— a la que terminó en enero de 1996. Debo para ello situarme, obligadamente, en el ámbito de mi actividad parlamentaria y, de modo especial, a lo relativo a la Expo sevillana, de la que hube de ocuparme, en mi labor de control al gobierno, más de un lustro.

Como andaluz y sevillano, acababa de vivir los fastos del 92, con la Expo en todo su esplendor. Tampoco olvidaré tres días en una olímpica Barcelona, rebosante en esa ocasión de españolismo. Los recuerdo cada vez que subo a un AVE. Qué tiempos aquellos en que Sevilla podía convertirse en la primera ciudad como destino de un avance de ese tipo. Quizá por eso lo recuerdo ahora cuando, sistemáticamente, compruebo con envidia la puntual salida de los trenes hacia Barcelona —incluso partiendo de Granada— y las cotidianas esperas de las salidas de Madrid hacia Andalucía. Sirva como síntoma, que en un reciente viaje a Málaga la megafonía de Puerta Atocha recitaba el habitual mensaje: "les informaremos de la vía de salida; perdonen las molestias", cuando ya —aunque con retraso— nos hallábamos en la deslizante rampa hacia el andén. Los taurinos lo llaman querencia...

Sevilla había sido en efecto sede de una Exposición presuntamente Universal, en la que no fue nada fácil que se expusiera todo. Se me encargó por el presidente de mi grupo parlamentario el control de lo ocurrido. Costó Dios y ayuda que se acabaran exponiendo las cuentas. El Archivo Óptico, que contenía toda la documentación de los millones invertidos, sufrió todo tipo de peripecias. Desde la sugerencia de que pudiera ser víctima de algún incendio —ya lo había sido todo un pabellón, antes del estreno— hasta la experiencia de mostrarse averiado en los más inoportunos momentos, pese a que, a la vez, se ofrecían en alquiler sus servicios para otros menesteres.

Entre las empresas que por allí circularon, no faltó una a la que le fue particularmente fácil prosperar: recibía un porcentaje de todos los contratos, aunque no hubiera aportado nada a su gestión. Casualmente su consejo de administración se lo repartían entre Viajes Ceres, que se había hecho famosa por sus trajines políticos, y un grupo en el que no faltaban sonoros apellidos aristocráticos.

Puestos a colonizar instituciones, se llevó indirectamente la palma el Tribunal de Cuentas, que debía lógicamente controlar el buen uso de tan fabuloso festival. Curiosamente, cuando llegó la hora de saldar las cuentas, se creó —pese a lo anunciado— una empresa al respecto y no se encontró personal más adecuado que funcionarios del propio Tribunal, que luego se reincorporarían a él a la hora de controlar la gestión. El presidente de la citada empresa fantaseó y fabuló —durante años— sobre los presuntos logros económicos obtenidos y la insuperable valía de los activos disponibles. Bastó que hubiera —al fin— un cambio de gobierno para que todo el tinglado se viniera abajo, aparecieran pérdidas por doquier y los presuntos activos se derritieran. Todo ello tras un proceso que no terminó hasta cinco años después del arranque: en diciembre de 1997.

Sirva todo ello de anticipo a problemas que hoy escandalizan y no son sino herencia de una cultura que, en aquellos tiempos comenzaba a sedimentarse: se rehuía la publicidad, imprescindible para controlar el gasto público. Me limitaré pues a la Expo. En la medida en que la situación actual mantenga paralelismos con la de aquellas legislaturas, que mostraron el agotamiento de un *cambio* que tanta ilusión había cosechado, no cabe descartar que la presente sirva también de antesala a otro no menos esperado. Aunque los modos de comportamiento acumulados no sean fácilmente reversibles; lo que sí parece claro es que todo comenzó ayer.

1. SE ANUNCIA UNA EXPOSICIÓN UNIVERSAL

La legislatura que arrancó a finales 1989 se vio protagonizada por el doble acontecimiento de la Expo internacional celebrada tres años después en Sevilla, conmemorando el centenario de la llegada de las naves españolas a América, y de la olimpiada que tuvo lugar en Barcelona en el mismo año.

Contribuyó —para muchos parlamentarios— a realzar tales fechas un peculiar programa titulado Parlamentarios y Empresa, que brindaba a los diputados y senadores una toma de contacto con el mundo empresarial, conociendo de cerca el funcionamiento interno de destacadas firmas y visitando sus instalaciones. Junto a mi buen amigo Miguel Ángel Cortés, tuve oportunidad de llevar a cabo tal programa en contacto con las multinacionales IBM y Ford.

Particularmente interesante fueron las visitas relacionadas con la primera, dada su notable presencia en la preparación de los actos a celebrar tanto en Sevilla como en Barcelona. En el primer caso, por su contribución a la digitalización de fondos del Archivo de Indias sevillano, así como a la puesta en marcha en la Isla de la Cartuja de muestras de la transferencia —por entonces novedosa— de intervenciones orales a soportes digitales. Igualmente, la presencia de la informática en las múltiples instalaciones olímpicas catalanas ayudó a descubrir un mundo poco conocido por quienes teníamos una formación más vinculada a lo humanístico.

Recuerdo, anecdóticamente —al acompañar a parlamentarios alemanes a visitar los preparativos de la Expo sevillana— su perplejidad ante el no muy previsto destino final de buena parte de las instalaciones en construcción, con un desembolso de fondos públicos espectacular. Aparte de los pabellones de arquitectura efímera, muchos otros no tenían definido su futuro, aunque la infraestructura de telecomunicación que se estaba implantando prometía —en proyecto atribuido a Castells— la conversión de la isla en un espacio privilegiado para actividades de I+D, aún no perfiladas.

Tuve la oportunidad de hacérselo notar en una de las comparecencias parlamentarias al principal protagonista del evento; "Creo que en ningún país de nuestro entorno unas inversiones del calibre de las que aquí se han realizado se hubieran hecho sin tener perfectamente definido su futuro; y ese futuro no estaba definido. Usted ahora mismo acaba de referirse a las obras de la Plaza de América. En efecto, nos parece mucho más sensato haber hecho un edificio permanente que no alguno puramente efímero. Ahora bien, usted sabe que la decisión de destinarlo a la Universidad es muy reciente; notablemente posterior a su construcción"[1].

Recientemente he tenido ocasión —años después de mi etapa parlamentaria— de conocer otro programa para parlamentarios, que me hacía recordar al anteriormente aludido. La llamada Oficina C aspira, en efecto, a poner a la disposición de Congreso y Senado el posible apoyo de investigadores, además de abordar periódicamente la elaboración de informes sobre proyectos científicos de particular actualidad. Entre las instituciones que colaboran figura —aparte de entre otras, el Consejo Superior de Investigaciones Científicas— el Instituto de España, que coordina actividades de las diez principales Reales Academias; tarea que he tenido después ocasión de seguir muy de cerca, en mi calidad de secretario general de dicha institución.

Por lo demás, la actividad parlamentaria me centraba —ya en los comienzos del 93— de modo especial, en la Universidad, la Cultura y la Investigación Científica; como vicepresidente de la Comisión de Educación y Cultura y miembro, en el último caso, de la Comisión Mixta Congreso–Senado.

Quizá por eso, los de los alemanes no dejó de emerger, un año después como artículo de opinión.

---

1 Diario de Sesiones del Congreso de los Diputados, Comisiones. Régimen de las Administraciones Publicas. Año 1992, IV Legislatura. Núm. 540. Sesión núm. 28. Martes 20 de octubre de 1992, pág. 16224.

2. LA EXPO UN AÑO ANTES[2]

Recuerdo cómo los contados Buick, Packard o Chevrolet de la Sevilla de los 50 quedaban englobados en una genérica categoría en recuerdo del pródigo que, puesto a comprarse un coche, renunció a barajar marcas o modelos para conformarse con pedir "el más caro que haiga".

La historieta acudió a mi memoria cuando recorría la Expo con un político alemán que intentaba promover similar evento en Hannover. No dudó en desahogar su asombro. "He tenido que hacer inacabables cuentas a unos y otros hasta convencerlos de que tendremos un saldo equilibrado y de que Hannover es el lugar más adecuado para celebrarla, dada el previsto uso posterior de esas inversiones. Aquí parece haberse apostado por hacer la Expo caiga quien caiga, se ha decidido que sea en Sevilla porque sí, y cuando preguntas cuánto acabará costando y para qué, te dicen que ya veremos".

El despliegue destinado a marcar nuestra puesta de largo en el club de la *modernidad* no acababa de encajar en coordenadas tan modernas como poco imaginativas. Mi colega tedesco quedó impresionado por la colección de puentes a estrenar que vislumbraba, aunque —procurando no ofender— sugería que tanto el del Alamillo como el de la Barqueta parecían exigir mayor trecho, para evitar que sus siluetas acabaran estorbándose desde más de una perspectiva.

Animo sinceramente a los que ahora se afanan por lograr que el ambicioso despliegue de infraestructuras de la Cartuja acabe, uno o cinco años después, encontrando razonable utilidad. Lo que —sin necesidad de ser alemán— me cuesta más entender es que un año antes de comenzar la Expo no estuviera ya fijado con precisión el destino final de cada una de esas inversiones. Cesaron los cantos a la modernidad. Por el momento, la hace poco titulada *calle del cine* escenifica en vivo la última secuencia de Bienvenido míster Marshall: un farolillo ajado emerge al filo de un charco. Que Dios reparta suerte…

---

2 Publicado el 19 de septiembre de 1993 en Diario 16.

3. UNA ESPERA ILUSIONADA

Mi interés por lo relacionado con la Expo se produjo tempranamente, motivado sin duda por mi vinculación a Andalucía. Ya en 1988, cuando el resto de los grupos parlamentarios no la tenían aún en su agenda, registré sobre el particular —según mis datos— al menos 9 preguntas escritas, 20 solicitudes de información, una petición de comparecencia en Comisión y 2 preguntas orales en el Pleno. En 1989 fueron 6 las iniciativas presentadas y 9 en 1990. Se constata un aumento en 1991, cuando son ya 24 las preguntas escritas, 2 las solicitudes de información y 3 las de comparecencia en Comisión; mientras, del resto de los grupos apenas se ocupaba de la cuestión Izquierda Unida (2 preguntas escritas y 1 solicitud de información).

Los comienzos del proyecto generaron grandes expectativas en Sevilla, refrendadas por el nombramiento del Profesor D. Manuel Olivencia como Comisario de la muestra. Catedrático de derecho mercantil y abogado de prestigio, había tenido como alumno al presidente Felipe González, lo cual, dotaba al nombramiento de sentido institucional. Sé de lo que hablo pues también tuve —durante el curso siguiente al del citado alumno— la oportunidad de disfrutar de sus lecciones. Todo contribuía a una espera ilusionada, ante proyectos tan poco habituales como que la primera línea férrea de alta velocidad en España tuviera Sevilla como destino.

No parece que la atribución de tales responsabilidades a una personalidad ajena al partido gobernante fuera recibida con unánime acogida en el PSOE. El control de cantidades tan gigantescas quedaba al margen del partido, lo que no era precisamente lo usual por aquellas fechas. De probada honestidad y —como buen jurista— muy respetuoso con las formas, las vería sin embargo convertidas —para más de uno— en defectos tales virtudes. Fue brotando cierto rum–rum de que la marcha del proyecto era demasiado lenta, como excusa para intentar condicionar su independencia, reclamando de modo alarmista la necesidad de un gestor ejecutivo, que estuviera más pendiente de las fechas que de respetos formales.

En cualquier caso, el anuncio de la Expo me llevó, en más de una ocasión, a comentar —en otras páginas de opinión de medios andaluces— lo que cabría esperar de la anunciada iniciativa; la segunda, desde contexto granadino, dada mi función parlamentaria, y la tercera tras unas semanas en Estados Unidos.

4. LA EXPO Y LA AUTONOMIA ANDALUZA[3]

No creo que haya ni un sólo andaluz que no desee el mayor éxito a la Expo 92. ¿Qué posibilidades se vislumbran de que puedan verse satisfechas sus expectativas? Me temo que la respuesta resulte, obligadamente, más gallega que andaluza: depende. Depende de cuáles sean realmente los objetivos de la Expo.

Si lo que se pretende es combinar la conmemoración de tan relevante fecha con una operación de prestigio internacional y una ocasional promoción turística, bastaría con un adecuado planteamiento gerencial, no muy distinto al de una Olimpiada o un Mundial de fútbol. Cabe también pensar que la pareja gobernante del país ha querido aprovechar una fecha ya mítica para dirigir una propina de maná estatal en beneficio de sus paisanos; en tal caso, habrá que esperar a ver hecho realidad el tren de Madrid por Brazatortas, para que los beneficiarios entonen el "que nos quiten lo bailao"; quedará la duda de si acentuar desigualdades dentro de la Comunidad Autónoma que, como conjunto, sufre especialmente una situación discriminatoria es una decisión política inmejorable.

Personalmente, siempre he pensado que el proyecto de la Expo era más ambicioso. La entendía localizada en la capital de Andalucía, título que honra como pocos a la Sevilla en que he nacido. Creo que encerrar tal proyecto en el recinto de la Cartuja sería un triple error. Estaría reñido con la historia, que impide hablar del 92 sin vislumbrar, más allá de la tapia, un panorama que abarca, como mínimo punto de referencia, desde La Rábida hasta Santa Fe. Amenazaría incluso la funcionalidad organizativa de la feria; la misma Comisaría señala que Sevilla podría quedar colapsada, si el volumen de visitantes previsto no encuentra otras alternativas atrayentes que

---

3 Publicado en el diario IDEAL de Granada el 26 de febrero de 1988 y en ABC el 28 del mismo mes, fiesta de la autonomía andaluza. ABC dedicó páginas especiales sobre la Expo en su desarrollo y mantuvo tanto en la edición sevillana como en la nacional, constante información a finales de 1997. De ahí su mayoritaria presencia en estas páginas.

redistribuyan su estancia por más amplio ámbito. Pero, sobre todo, sería un notable error político.

Para el 92 la autonomía andaluza habrá cumplido una docena de años. ¿Seguirá siendo un cascarón político más bien vacío, aunque haya posibilitado sustanciosas ofertas de empleo público? Que Sevilla en el 92 se encuentre —ferroviariamente— a menos de cuatro horas de Madrid no es nada despreciable; pero, dado que —políticamente— lleva años mucho más cerca de la capital que alguno de los barrios madrileños, el asunto pierde emoción.

Sería decisivo poder profetizar si habremos agotado en el 92 nuestro más esterilizador círculo vicioso: si la falta de vitalidad social, que reduce nuestra autonomía a burocracia reduplicativa, se debe a la querencia al estatalismo invencible para todo socialista —nacional o regional— que se precie; o si nuestra autonomía languidece más bien por falta de sujeto, como resultado de la posible querencia al sucursalismo de sus presuntas fuerzas vivas.

La Expo podría ofrecer una espléndida ocasión de romper tan negativa circularidad. Nuestros dignos gobernantes, tan dados a sugerir displicentemente que no cuentan en Andalucía con la sociedad que se merecen, nunca disfrutarán de mejor coyuntura para demostrarlo. Basta que conviertan la Expo en una grandiosa oportunidad vitalizadora de esas iniciativas sociales que con tanto pesar echan de menos. Se trataría de plantear generosamente incentivos; no un maná estatal, a repartir con más o menos sentido del equilibrio, sino una colaboración que sólo entre en juego en la medida en que existan proyectos previos. A más iniciativa más incentivos. No se entendería una falta de magnanimidad en esta oferta; porque, si la sociedad andaluza es tan pasiva como sus gobernantes afirman, pueden incluso tirarse el farol de prometer lo imposible, con la seguridad de que, al no surgir proyecto alguno, les acabará saliendo gratis. Así se las ponían al ínclito Fernando VII.

Aunque algunos parecen empeñados en lo contrario, ya va siendo hora de rechazar rotundamente que la Expo obligue a plantear un artificial dilema Sevilla o Andalucía. Aquí, mientras no se demuestre lo contrario el único dilema real es iniciativa social o burocracia estatal.

Si de verdad se ofreciera esa excepcional oportunidad se convertiría automáticamente en un reto. Deshecho el círculo vicioso, la patata caliente pasa a otras manos Son ahora los ciudadanos con iniciativa —no sólo los empresarios, aunque lógicamente ellos en primer lugar— los que tienen que demostrar que son capaces de algo más que de plantear plañideros agravios comparativos. Una ventaja adicional, pues, de esta imaginativa oferta reto sería precisamente yugular un preocupante fenómeno: la reivindicación autonómica, que surgió apoyada decisivamente en el agravio comparativo, languidece hoy amenazando con dejar como cadáver un nuevo y generalizado agravio comparativo: la repulsa periférica al *centralismo sevillano*. Una oferta de incentivos aplicados a potenciar determinadas actividades, porque persiguen una finalidad y no por estar impulsadas desde uno u otro despacho, tendría un resultado positivo añadido: más ayuda para quien más proyectos genere, con lo que los lloros y quebrantos no serían ya sino confesión de la propia pasividad.

Me habría encantado poder celebrar el Día de Andalucía saludando la puesta en marcha de esa oportunidad reto. El proyecto de ley que el Gobierno ha enviado al parlamento invita, sin embargo, al escepticismo. Ceñido a un recinto urbanístico que —sobre el texto— se adivina estrecho, su Expo —más que como oferta a Andalucía— parece pensada para un barrio de Sevilla y algún municipio colindante. En vez de ofrecer un generoso caudal de incentivos, se indulta, por vía extraordinaria, a las actividades impulsadas desde las entidades estatales de los recortes introducidos por los presupuestos del 88, manteniendo hasta el 92 en vigor los mismos incentivos ordinarios vigentes en todo el país hasta el pasado diciembre. Nos encontramos, sin duda, ante una original estrategia para poner en ebullición al más retraído inversor... Tampoco podrá beneficiarse cualquier iniciativa sino sólo las promovidas por empresas que por su envergadura no se acogen a los sistemas de evaluación global; por lo visto, importa más ahorrar complicaciones al Ministerio de Hacienda que movilizar a un tipo de empresas que, casualmente, es el mayoritario en Andalucía.

Líbreme Dios de colaborar a convertir anualmente el 28 F en Día del llanto por Andalucía, como me temo ya va ocurriendo. Prefiero dirigir, con ánimo positivo, al Gobierno un reto: que haga posible que tan esperado proyecto se transforme en su trámite parlamentario, hasta convertirse en la oportunidad que Andalucía imperiosamente necesita. Si lo hace, la Expo podría dejar como legado el mejor monumento–símbolo: una autonomía de carne y hueso.

5. LA PRUEBA DEL NOVENTAYDÓS[4]

Cuando no era aún posible recurrir a la clandestina complicidad de la calculadora de bolsillo, las multiplicaciones y divisiones —generosas en cifras— producían una inevitable zozobra ante la escasa fiabilidad de la operación. Cabía, sin embargo, lograr la relativa calma del que trabaja con red recurriendo a la socorrida "prueba del nueve": se trazaba un aspa de visible dimensión, se sumaban cautamente las cifras de cada elemento, restando incesantemente nueve, y se esperaba conteniendo la respiración que las dos cifras laterales acabaran cuadrando. Viene esto a cuento porque la mítica cifra del 92 no consigue despertarme tentaciones de erudición histórica ni dispara mi imaginación hacia futurologías fantasiosas. El 92 se me convierte en aspa, por los mismos caprichos de la fortuna que en los autobuses municipales lo convierte en escorzo de granada rojiverde. ¿Qué elementos hemos de ir colocando en cada hueco para poder calibrar el acierto de la operación?

Retóricas aparte, el 92 crea una peculiar situación que permite diseñar programas singulares, con un doble resultado: proyectar internacionalmente la realidad española y crear dentro de ella zonas de peculiar atención, rompiendo la lógica distributiva habitual. Apostando fuerte a la magia del 92, España ha conseguido hacerse con tres ocasiones privilegiadas de autolanzamiento, que rara vez un país logrará hacer coincidir: Expo, Olimpiada y Capitalidad Cultural de Europa. En segundo lugar, y como consecuencia, determinadas ciudades españolas, y unos variables contornos, podrán beneficiarse del peculiar remolino inducido por técnicas de imagen e incentivos económicos. El tercer elemento viene marcado por la posibilidad que ello ofrece de unir a toda una población en torno a una ilusión común. Ya tenemos, pues, los factores para ir sometiendo a la prueba del nueve nuestra particular operación.

---

[4] Publicado en IDEAL el 12 de octubre de 1998.

El reparto de zonas de peculiar atención se ha consumado. Los catalanes cerraron filas por la Olimpiada. Ningún gobierno se expuso a provocar un movimiento reivindicativo en una zona con difíciles dividendos políticos. Para el actual, la alcaldía de la ciudad es casi una insólita isla en la mar convergente. Los catalanes son expertos en luchar por lo suyo y no es prudente ponerlos a prueba. Los frutos han comenzado a llegar: hasta los coreanos, curtidos en el duro arte del monosílabo, son capaces de decir de un tirón Bar ce lo na. Con el tiempo, hasta Cobi les parecerá menos estrafalario.

En Sevilla el fenómeno fue distinto. Es buen negocio rendirse al partido del gobierno cuando los líderes locales tienen vara alta en las alturas. El gigantesco parto del centenario cuanto más cerca de casa mejor, y en manos del ginecólogo de confianza: el Dr. Yáñez, por más señas. Lo de Madrid es el lógico resultado de los peculiares criterios de "compensación territorial" de nuestro inefable Estado de las Autonomías.

Granada ha quedado fuera del reparto. Hace años un novel concejal habló de aspirar a una Olimpiada Blanca y todos le miraron, no como si estuviera escribiendo una carta a los reyes, sino como si no se hubiera enterado aún de que los magos son los padres. Hubo luego su poco de retórica a cuento de que Granada era la capital cultural de Andalucía, pero cuando hubo que aspirar a serlo de Europa hacían falta más que palabras. La propuesta ilusionaba por abajo, pero debió haber sondeo en las alturas. No es políticamente aconsejable alimentar ilusiones que no se esté dispuesto a convertir en firmes reivindicaciones. Al final dos condecorados hijos de Granada acabaron avalando la candidatura de Madrid, de lo que es fácil colegir que nadie les propuso que respaldaran otra...

Queda hecha la prueba del nueve de nuestro mapa político. No es rentable entregarse al partido del gobierno cuando sus líderes locales no pueden permitirse mayores aspiraciones que seguir siéndolo. En política, como en la fiesta, ser público fácil sólo sirve para que el espada no considere necesario arrimarse. Mientras que las contiendas electorales sigan teniendo el artificial ambiente de un encuentro de eternos rivales, donde deben defenderse los colores de siempre aun a costa de negar la evidencia, el resultado será similar. En las democracias maduras unas elecciones son la ocasión para que el partido en el poder rinda cuentas: de ahí que estadísticamente la alternancia sea el más frecuente resultado. En política el "más vale malo conocido..." es un producto típico de las dictaduras, que sofocan toda apuesta por lo bueno por conocer.

Queda aún abierta la posibilidad de vincularnos a algunos de los centros de atención preferente y aprovechar en lo posible el correspondiente remolino. Salamanca, que ha jugado con más fe la carta cultural europea, no ha desistido de buscar enlace por esa vía. A Granada la Expo, por mil razones teórica y prácticas, le ofrece vía más oportuna. Para ello resulta decisivo saber, ante todo, qué es lo que se quiere. No es muy presentable la figura del niño caprichoso cuyo juguete preferido sólo se descubre cuando ya se lo han regalado al vecino. Deseo la mejor suerte a la llamada "comisión de notables" que parece dispuesta a abordar el empeño. Se puede incluso olvidar que en su funcionamiento cotidiano acabe más de una vez paradójicamente rebajada a "comisión de sobresalientes" (en el sentido taurino del término). No obstante, su misma composición permite otra expresiva prueba del nueve: la de la vitalidad social.

Las instituciones y cargos políticos aspiran a ser la estructura funcional de los problemas colectivos. La democracia aporta la impagable virtud de hacer posible —no automáticamente— que se vea animada por la vitalidad social. Cuando ésta falta nos encontramos ante una situación patológica. Una sociedad que todo lo confía a instancias políticas y administrativas, en la que no hay más vitalidad que los caracoleos de los que aspiran a insertarse en dicha osamenta, es una sociedad "en los huesos". Mientras más los robustezca más resaltará su depauperada situación. El 92 no será sólo la prueba del nueve del mapa político; será también una ocasión en largo tiempo no repetible de demostrar que la consigna "más sociedad" tiene entre nosotros sujeto conocido. El reciente nombramiento de un granadino como presidente de las Cámaras andaluzas abre un compás de expectación.

Sería miope convertir el 92 en una fuente de agravio comparativo, por rentable que personalmente pueda resultar. Rara vez lo harán nuestras autoridades políticas, perdidas en el anonimato de un esquema de concentración vertical del poder, que nada tiene que envidiar a otros de reciente memoria. Pero la fecha mítica se va a convertir también en prueba del nueve de un síntoma de madurez política que las limpias mayorías electorales requieren como acompañamiento. La capacidad de trazar, junto a los aspectos coyunturales abiertos a la lógica discrepancia plural, campos de interés común, en los que el recurso al consenso es independiente del número de votos con que se cuente. Sólo para el déspota encubierto el consenso es la fórmula excepcional para solventar eventuales penurias numéricas.

Implantar en todos los ámbitos de la convivencia el "ordeno y mando", porque se cuenta con respaldo electoral para ello, lleva a un fenómeno tan nocivo como el despotismo ilustrado: el "despotismo delegado". En él alguien —un técnico pre–político— se erige en consejero delegado de la sociedad en su conjunto, a cuyos miembros sólo concede la liturgia habitual en las sociedades anónimas: una reunión ocasional con derecho a librito en papel cuché y a una mano de canapés. Ganar cada cuatro años y dedicar los intermedios al reparto del botín no es el modo más excelso de entender la política. Agrupar a todos en torno a proyectos de especial alcance es privilegio de los ciudadanos que acaban pasando a la historia: el 92 les está sirviendo ya de prueba del nueve.

6. LA OTRA CARA DEL 92[5]

Llevamos ya una buena temporada viviendo —venga o no a cuento— de cara al 92. Quizá fuera una vieja alergia a los tópicos lo que me llevó a mostrar interés por contactar con las minorías *hispanas*, cuando —desde su embajada— se me ofreció la estimulante posibilidad de recorrer durante unas semanas los Estados Unidos, dentro de un amable ambiente de *open house*.

No me preocupó, por bien conocida, rastrear la presencia española, históricamente arraigada. Fue, sin embargo, prácticamente imposible no tropezarse con continuas muestras de ella. En la capital del jazz, a cuya Tulane University me habían llevado otras preocupaciones, me vi hospedado (de modo aparentemente casual) en un hotel cuyo nombre —Borbon— resulta muy familiar para cualquier español, por razones obvias. Lo rodea un barrio presuntamente *francés*, que —para quizá evitar toda confusión— adorna sus esquinas con azulejos de Talavera, en los que se recuerda que “siendo Luisiana provincia española, esta calle lleva el nombre de San Pedro”, o de Santa Ana, o de Plaza de Armas; y así continúa llamándose…

A pocos metros, el recién inaugurado acuario, que convertía a Nueva Orleans en una fiesta, se asienta junto a una peatonal Plaza de España, adornada con escudos de nuestras provincias. Pero la presencia española no se limita a lo superficial y colorista. Curioseando más tarde un catálogo informatizado de la biblioteca de la californiana Universidad de Berkeley, más de un profesor español podrá comprobar cómo allí se encuentran todos sus libros, lo cual en España quizá no ocurra en su propia Universidad.

El protagonismo político de los *hispanos*, es creciente. El *caucus*, que promueve sus intereses en Washington, agrupa a diez congresistas y tres delegados y asocia a sus tareas a otros setenta y tres. Organizaciones como la méxico–americana Maldef prefieren recu-

---

5 Publicado el 29 de septiembre 1990 en IDEAL de Granada, el 30 de octubre 1990 en ABC de Sevilla y el 11 de marzo 1991 en la edición de Madrid.

rrir directamente a los senadores demócratas —Ted Kennedy como buque insignia— que tienen a gala desde hace lustros la defensa de las minorías. A los cubanos de Florida, por el contrario, les va mejor con los republicanos. El censo decenal, cerrado este año, prevé un aumento de representantes en Estados como California o Florida, mientras se mantiene abierta una densa negociación para redefinir los distritos, de modo que las minorías étnicas y lingüísticas puedan concentrar sus votos, potenciando así su presencia política.

Todo este panorama invita a reflexionar sobre nuestros fastos del 92, evento desprovisto en el ámbito norteamericano de toda magia especial. A nadie debe sorprenderle; pero ¿qué hemos hecho para que sea otro el resultado?

Unas semanas no dan para rigurosos balances, pero quizá sí para detalles sintomáticos. Uno de los comisionados para la Igualdad de Oportunidades en el Empleo, que se encarga de velar por la efectividad de la normativa antidiscriminatoria y ha funcionado veinticinco años, se muestra orgulloso de su ascendencia; se llama Tony Gallegos. Lleva ocho años en el cargo y se siente feliz porque es la primera vez que un representante político español ha mostrado algún interés por sus tareas, los problemas que con ellas intenta solventar o por sus sufridos titulares. Por más que sentirse pionero en algo siempre reconforta, el visitante no logra disimular su desazón "de cara al 92".

Otro de los problemas que no puede pasar inadvertido a cualquiera preocupado por la incidencia de lo español en Norteamérica es la polémica abierta sobre la conversión del inglés en lengua oficial, y la consiguiente restricción de los programas educativos bilingües.

Al joven y dinámico George Tryfiates —que, sin disimular su ascendencia griega, promueve la cruzada *English First*— no lo desanima que los referendos electorales hayan fracasado en la mayoría de los Estados. Sigue pareciéndole excesivo que la ciudad de San Francisco multiplique funcionarios para poder examinar de conducir en inglés, español, vietnamita, coreano y mandarín. También le parece un dispendio que baste que una minoría lingüística alcance el 5% en una circunscripción para que la documentación electoral haya de imprimirse en su lengua. Afirma que los anglosajones llegaron primero (!) y en su lengua debe entenderse el resto. El coste político de la operación no le arredra. Cuando le planteo que la conversión de Puerto Rico en Estado supondría hacer cambiar de lengua a todo un pueblo, se asombra de lo bien que lo he entendido. Es un hecho que entre los Estados que ya han convertido el inglés en lengua oficial se hallan California y Florida. ¿Con cuántos centros y con qué medios contará el anunciado Instituto Cervantes para afrontar este desafío? ¿Tendrá esto que ver con el 92?

Factores bien diversos parecen desviar el interés por la España actual. Stanley Paine, con el que compartí almuerzo a dos en la terraza del University Club de Madison, se asombra de que por vez primera en veinte años no cuente con ningún doctorando que trabaje sobre nuestra historia contemporánea. Desde que hemos dejado de dar el espectáculo, abandonando las páginas de sucesos de la política internacional, el interés de los investigadores se ha trasladado a nuestra historia moderna. Por otra parte, la mayoría de mis numerosos interlocutores de estos días añoran posibles escapadas turísticas a España, pero nuestros precios parecen pensados para ciudadanos de países más desarrollados. Lo del 92 se pone difícil. Por si fuera poco, Mario Salgado, colombiano y director del La Raza Centro de San Francisco, ironiza sobre el original obsequio de centenario que España ofrece a sus posibles visitantes suramericanos: necesidad de visado, por exigencias de la Comunidad Europea...

Más de una vez con los más variados interlocutores, las referencias a España han suscitado alusiones a las futuras Olimpiadas. De la Expo, sin embargo, no me ha hablado nadie, ni para bien, ni para mal; aunque el currículum que me ha introducido anuncia a un sevillano asentado en Granada. Una vez más no pretendo elevar la anécdota a categoría; pero el viejo cascarón de la fracasada Expo de Nueva Orleans, perdido entre los muelles del río Mississippi, es toda una llamada de atención sobre lo efímero de determinados empeños.

7. OLIVENCIA DESAPARECE A EMPELLONES

La crisis acabó estallando erigiéndose en hombre fuerte Jacinto Pellón, procedente de Cantabria y poco conocedor del ambiente local, aunque notablemente expeditivo y nada dado al diálogo. El mismo no tuvo empacho en suscribir tal relato en alguna de las —por él nada deseadas— comparecencias parlamentarias que le obligué a soportar. Nos expresó en Comisión: “les voy a decir que yo me incorporé a una Expo que estaba muy verde. Hay cosas que se olvidan, y hacen ustedes referencia de vez en cuando a cosas de las que a uno le resulta muy difícil hablar; por muchas cosas, entre otras, por educación, discreción y buenas maneras; si ustedes creen que las tengo, algunas tengo. Yo me incorporé a la Expo porque había un lío allí, llevaban dos años y no se hacía nada”. “Si yo fui a la Expo fue porque había que poner aquello en orden, ya que la Expo no se hacía”[6].

Por si no había quedado claro, en otra comparecencia, dejó caer: “Evidentemente desde La Palmera [avenida sevillana donde radicaba la sede de Olivencia, como Comisario de la Exposición] no se podía llevar la Expo; seguro que no. En La Palmera se hacen otras cosas, dar conferencias, etcétera; pero no se lleva la Expo, la Expo se lleva desde la propia Expo”[7].

Rehuía a los medios de comunicación, lo que convertía en misterioso todo lo que sucedía en la Isla de la Cartuja, en un momento en que buena parte de las copiosas inversiones en infraestructuras derribaban los muros que la apartaban de la ciudad. Este déficit de información generó todo tipo de susceptibilidades sobre los criterios empleados en la distribución del arsenal de fondos públicos en juego.

---

6 Diario de Sesiones del Congreso de los Diputados, Comisiones. Régimen de las Administraciones Publicas. Año 1992, IV Legislatura. Núm. 540. Sesión núm. 28. Martes 20 de octubre de 1992, págs. 16233–16234.

7 Diario de Sesiones del Congreso de los Diputados. Comisiones. Régimen de las Administraciones Públicas. Año 1993. IV Legislatura. Núm. 608. Sesión núm. 33. Miércoles 17 de febrero de 1993, pág. 18293.

Días después de esas afirmaciones, el presidente autonómico —Manuel Chaves— consideró obligado conceder a Pellón nada menos que la Medalla de Oro de Andalucía. PP, PA e IU se negaron a asistir a su entrega. Los medios de comunicación recabaron opiniones. Por mi parte, comenté: "Hay que reconocerle algunas virtudes. como su buena voluntad, pero esa medalla huele a contraoferta por servicios políticos prestados en condiciones incómodas. Una condecoración se desvirtúa cuando se da solo por motivos políticos, por ser amigo del que manda" [8].

---

8 ABC de Sevilla 27 de febrero 1992.

8. LA EXPO A OJOS DE UN SEVILLANO EN EL EXILIO

Pedro Altares me planteó[9] si consideraba la recién inaugurada Expo un éxito o un exceso. Afirmé que la misma existencia de la Expo era ya un éxito. La apuesta del Rey, hacía más de diez años, porque se convirtiera en símbolo de las festividades del 92 había sido un gran acierto. Había habido también excesos innecesarios, especialmente sensibles en Sevilla que —en todo lo importante— es la capital de la mesura. El problema no es si se ha gastado más o menos, sino si se ha incurrido en dispendios innecesarios, por descontrol y falta de rigor. Pellón llegó a Sevilla con la bandera de la eficacia, pero no es lo mismo ser eficaz que ser expeditivo. Su gestión ha acabado convirtiendo la Expo en un monumento a la calle de en medio, convencido de que los controles establecidos por las leyes son minucias de picapleitos. A cambio, no se había ofrecido más eficacia sino una sensación de vivir de milagro, que acabó convirtiéndose en un aspecto más de la fiesta.

Como se había demostrado en el incendio del Pabellón de los Descubrimientos, los controles no parecían tener en la Expo carácter preventivo sino conmemorativo de los fallos. Un gestor de un Pabellón me mostraba su asombro porque se le había hecho firmar un papel haciéndose responsable de la posible utilización de agua potable para las instalaciones de aire acondicionado. No entendía por qué se le hacía firmar la renuncia a ese disparate y no a otros igualmente sorprendentes; acabó comprendiendo la situación cuando se enteró de que tal circunstancia se había dado de hecho; pero en vez de investigar las causas se había preferido establecer futuros responsables. A nadie podía extrañar que los problemas del aire acondicionado estuvieran formando parte del panorama cotidiano de la Cartuja.

Expresé mi esperanza en lo positivos resultados de los contactos del Rey de España y dignatarios extranjeros con ocasión de la Expo.

---

9 En Radio Nacional en el programa "Las cosas son como son", el 27 de abril 1992.

Llenarían de sentido la Exposición, cuyo ambiente festivo había calado en España; pero era aún dudoso que tuvieran significativo impacto fuera de nuestras fronteras.

Entre los aspectos menos positivos, aludí a la sensación de que Sevilla fuera el escenario de un centralismo en préstamo. La capital se había trasladado temporalmente, como si estuviéramos hace cinco siglos, pero a los andaluces parecía estarles reservado el papel de jaleadores de esta fiesta que nos habían montado unos señores muy dadivosos. Se estaría creando la falsa imagen de que había habido una fuerte inversión en Andalucía, por lo que a partir del 93 les tocaría a otros; la verdad es que se ha invertido en una parte mínima de Andalucía. La RENFE aseguraba en su publicidad que en Andalucía el tren no paraba, pero en el mapa que ofrecía no figuraban Granada, Jaén ni Almería, quizá porque allí el problema no era si paraba, o no, sino simplemente si seguiría pasando.

Me parecía grave, evocando la propuesta de Pujol de hablar más de competitividad y menos hablar de solidaridad; que la atípica gestión de la Expo pudiera llevar a un olvido de la solidaridad. Había que acabar con la imagen injusta del andaluz como alguien menos dispuesto a dar golpe que a celebrar todo lo que le echen. Un ambiente de tirar la casa por la ventana, con una gestión que olía a chamusquina y pólvora de rey, no era el mejor mensaje en un momento de recortes sociales. Andalucía había sido relegada a espectadora de la muestra. Ni su himno ni su bandera se dejaron ver en la inauguración, lo que se prestaría bien pronto a comparaciones enojosas.

9. UN PABELLÓN IGNÍFUGO ES PASTO DE LAS LLAMAS

En efecto, un acontecimiento inesperado había roto —apenas dos meses antes de su inauguración— la rutina cotidiana de las obras, en circunstancias no aclaradas: el notable incendio del Pabellón de los Descubrimientos. Uno de los cinco edificios emblemáticos de la muestra quedó completamente arrasado por las llamas, tras prolongarse el fuego durante más de tres horas, desde poco antes de las dos de la tarde.

Hubo comparecencias en el Congreso, a petición del grupo parlamentario popular, en las que se uniría a la del consabido Pellón la del propio Ministro de Relaciones con las Cortes y de la Secretaría del Gobierno —Virgilio Zapatero— en un curioso mano a mano, fruto quizá del intento del ministro de contrapesar un torrencial y no siempre adecuado discurso.

El ministro tuvo buen cuidado en resaltar que la "obra estaba dotada de los sistemas de seguridad que son necesarios en el proceso de construcción de un edificio y, 'a sensu contrario', la obra no estaba dotada de aquellos sistemas de seguridad que son necesarios para dar la licencia de apertura al público y, por consiguiente, para entrar en funcionamiento"[10].

La inoportuna insistencia de Pellón en ese asunto, a propósito del carácter ignífugo o no de los materiales utilizados, dio lugar a momentos surrealistas en el debate. Hube de apuntar: "ustedes hablan de materiales ignífugos; yo de eso no entiendo nada, señor Pellón, pero sentido común sí tengo. Usted dice que son materiales ignífugos homologados, pero que hay que tener en cuenta que estamos en la fase de construcción. ¿Pero, ignífugos no significa que no se queman? ¿Es que están programados de tal forma que si se está en

---

10 Diario de Sesiones del Congreso de los Diputados, Comisiones. Año 1992. IV Legislatura, Núm. 391. Régimen de las Administraciones Públicas. Sesión núm. 15. Martes 25 de febrero de 1992, pág. 11529.

fase de construcción se dejan quemar?". "Explíqueme esto, porque yo, que no soy técnico, no lo entiendo. O se queman o no se queman; si se queman, se queman cualquier día y, si no, no se queman. Punto. Explíqueme, por tanto, por qué se han quemado; lo demás es tomarle el pelo al personal, y ya está bien" [11].

No faltó, por mi parte un desahogo en medios de comunicación...

---

[11] Diario de Sesiones del Congreso de los Diputados, Comisiones. Año 1992. IV Legislatura, Núm. 391. Régimen de las Administraciones Públicas. Sesión núm. 15. Martes 25 de febrero de 1992, pág. 11529.

10. DE LA EXPO PARA SEVILLA A LA EXPO DE SEVILLA[12]

"Todo parece indicar que ya nada será lo mismo en las cosas de la Expo, después del 'lamentable accidente' —por utilizar expresiones del ministro Virgilio Zapatero— ocurrido. Hasta entonces, los partidarios de la Expo para Sevilla aparecían ufanamente instalados —por fin...— en el puente de mando.

Frente a los que siempre han entendido la Exposición como cuestión de Estado, al margen de banderías partidistas, los de la Expo para Sevilla la entendían como un regalo inmerecido de los dioses —eran dos por entonces...— a sus paisanos. No tiene nada de extraña la actitud del señor Pellón, convencido de ser el procónsul en esta operación; la poco disimulada displicencia del que se considera rodeado de un contorno de indocumentados y desagra decidos. La Expo se hacía para Sevilla y sin Sevilla, que poco podría aportar a un diseño de tal envergadura.

Al taurino dejadme solo..., del presunto maestro, resultó de inmediato mortificante la presencia del Comisario Olivencia, arraigado en la ciudad y convertido por Felipe González en símbolo de la Expo como cuestión de Estado. No fue, finalmente ninguna comprobada incompetencia del Comisario lo que llevó a su sustitución. La Expo no merodeaba por entonces en ocasiones —dos veces por semana...— las páginas de sucesos. No fueron tampoco exigencias funcionales, relacionadas con la mejor marcha de la Exposición, las que motivaron el despido de todo un equipo de excelentes profesionales, e incluso que se aceptara sin mayor comentario la dimisión de asesores seleccionados por su prestigio internacional. La Expo para Sevilla no había brindado réditos políticos en Sevilla, y los que consideraban en el PSOE que tratarla como cuestión de Estado era hacer el primo no demoraron el ataque.

---

12 Publicado en ABC de Sevilla el 26 de febrero 1992.

Todo parece indicar que el buen sentido sevillano ha llevado ahora a entender, sin necesidad de grandes cavilaciones, las tácitas señales de humo del gran jefe Pellón. Ha faltado señorío para reconocer las propias limitaciones y solicitar la ayuda imprescindible; pero todo el mundo ha comprendido que, con la Expo en estas manos, o se está presto al quite o viviremos de milagro.

Había ocurrido. Se había afirmado ante los representantes de los ciudadanos, que los programas de seguridad eran inmejorables y que se habían ejecutado de modo exacto y riguroso. Con ello no se contribuía a generar, entre expositores y visitantes, la confianza imprescindible para lograr el éxito que todos deseábamos. Hubiera sido más razonable explicar qué había ocurrido, qué hubiera podido preverse para evitarlo, reconocer el error y garantizar que no era repetible. Pero, si todo es como el gobierno lo ha contado, no queda en plena sociedad secularizada, sino atribuir el hecho al mismísimo Júpiter. Y ¿qué podrá impedir que mañana vuelva a levantarse con malos humos?

Se había tratado, en efecto, de un accidente "lamentable". No sólo porque eran de lamentar sus consecuencias, sino porque lamentables (por evitables...) habían sido las causas que lo generaron, que resultaban inexplicables, sin recurrir a los hados, en la versión gubernamental. Más lamentables aún eran las circunstancias que facilitaron en exceso que tales causas pudieran entrar en acción. Todo parecía indicar que alguien había perdido demasiado tiempo en operaciones de acoso y derribo y en calculados repartos de pastel, para verse obligado al final a encabezar una cabalgada llena de más riesgos de los oportunos.

A poco que se profundizara en los hechos, llamaban la atención algunos esforzados ahorros planteados a la hora de discutir cuestiones de seguridad. Quizá se pretendía con ellos frenar las lenguas viperinas, que identificaban Expo con *pellones*; esa novedosa unidad contable, a medias entre la pólvora de rey y el olor a chamusquina (al margen de incendio alguno). No habrían venido mal datos concretos, capaces -una vez más— de irradiar confianza.

Ante un gobierno con tan escasa capacidad de respuesta, el surgimiento de una Expo de Sevilla, de la que la ciudad se sintiera personalmente responsable, sería una buena noticia. Para quien conoce Sevilla, nunca había habido dudas sobre el éxito de la empresa. Por eso, resulta más doloroso comprobar que puede haber quien juegue con tal certeza para obligarla a correr con hándicap.

Hemos vivido la catástrofe, sin necesidad siquiera de que fuera criminalmente provocada. Cuando se tienen determinado tipo de amigos no hace falta tener enemigos, apuntaría el más ocurrente de los Marx. Ahora habría que extremar el apoyo al proyecto, por parte de todos, y el control de quienes los gestionan, por parte de quienes hemos de ejercer dicho oficio. Lo que no cabe es querer resolver todo con un expeditivo traidor el que no aplauda.

11. EL SUPREMO DICTAMINA SOBRE LAS CENIZAS

Ante un hecho de tal magnitud, continuación -por si fuera poco— de otros anteriores, el gobierno habría de demostrar su *responsabilidad política*, en vez de refugiarse en posiciones más propias de la *presunción de inocencia*. Esta hace que todo ciudadano privado haya de considerarse inocente, mientras alguien no le acuse y demuestre su culpabilidad. En los hombres públicos juega, por el contrario, la presunción de responsabilidad, que -ante hechos como los acaecidos— les obliga a dar cumplidas explicaciones de por qué han ocurrido, qué medidas se previeron para evitarlos y cuáles se tomarán para que no se vuelvan a producir. Todo ello sin necesidad de obligar a nadie -público ni privado...— a ejercer tareas acusatorias, ni menos aún probatorias.

No dejé de comentarlo ante la prensa, tras la intervención de Virgilio Zapatero: "Hace unos días, Felipe González confundía responsabilidad política con responsabilidad penal; por lo visto, Willy Brandt no debía haber dimitido nunca, ya que nadie le llevó al Juzgado; ni tampoco Nixon, al no estar previsto que quien miente a la opinión pública vaya a la cárcel. Ahora se pretende que sean los jueces los que juzguen sobre la posible ineptitud de los ministros" [13].

El pabellón quedó inutilizado y acabaría siendo derribado a finales de 2005. Tres años después, el Tribunal Supremo condenó a la empresa que montó el pabellón y a la que suministró los materiales de construcción a pagar más de cinco millones de euros a la aseguradora correspondiente. Según la sentencia, el incendio fue consecuencia de la "negligencia" de un trabajador, que se encontraba efectuando unas tareas de soldadura y se marchó del lugar dejando un grupo electrógeno en funcionamiento. El tribunal condenó también a la compañía que suministró un producto llamado *Slastic*[14] "como ignífugo, cuando

13 ABC de Sevilla 2 de abril 1992.

14 *Ibidem*.

en realidad no lo era", sino "fácilmente inflamable"; lo que "tuvo una especial incidencia en la propagación el incendio".

Sin embargo, el ministro Virgilio Zapatero lo había incluido, en su comparecencia, entre los "materiales homologados por la propia Sociedad Estatal como materiales no inflamables o tratados contra fuegos"

La conmoción fue general y dejó traslucir aspectos del malestar acumulado. La declaración oficial hizo hincapié en descartar que se tratase de un acto terrorista, lo que dejaba en la penumbra los errores que podían haberlo hecho posible. Al día siguiente tuvo lugar la comparecencia con el ministro Virgilio Zapatero. El tono fue amable, como es usual entre catedráticos de idéntica asignatura. No dudé en reconocerle "que su intervención hoy aquí es difícil, porque venir a dar la cara después de lo que ha ocurrido no es un trago agradable", "pero reconózcame que la mía también lo es, porque muchas fanfarrias puestas en movimiento momentos después del incendio han creado tal ambiente que parece que preguntar es ofender y, además, ofender no a personas que harían muy bien en sentirse ofendidas con la simple descripción de determinados hechos, que son de dominio público, sino ofender no sé si a los sevillanos, a Sevilla o a las esencias patrias en su conjunto. Parece que la consigna al segundo después del incendio era traidor el que no aplauda"[15].

Intentando levantarle la moral añadí: "La verdad es que la sensación que había respecto a la Expo es que sería un éxito en todo caso. Cualquiera que conozca Sevilla mínimamente sabe que lo será"

"Lo que queda por ver es a pesar de quién o de quiénes. Siempre tuve la sensación de que algo fallaba ahí, porque en Sevilla no había ambiente respecto a la Expo y lo atribuía a cuestiones de imagen, a falta de habilidad en la creación de esa imagen, a que los intentos de

15 Diario de Sesiones del Congreso de los Diputados. Comisiones. Año 1992. IV Legislatura, Núm. 391. Régimen de las Administraciones Públicas. Sesión núm. 15. Martes 25 de febrero de 1992, pág. 11532.

dar esa imagen habían fracasado; hasta que los mismos periodistas sevillanos me dijeron que no, que lo que pasaba es que había un interés especial en que nadie se acercara a los muros de La Cartuja, que aquello parecía para los periodistas un campo de concentración, y que el señor Pellón no tenía ningún interés en que se hablara ni mal ni bien de la Expo y más bien se sentía rodeado de desagradecidos y de indocumentados, lo cual evidentemente es grave". Pero "el sevillano medio ha entendido perfectamente las tácitas señales de humo del gran jefe Pellón y ha actuado en consecuencia. Se han dado cuenta de que, con la exposición en estas manos, si no son ellos los que procuran caldear el ambiente, mal nos va a ir a todos"[16].

No perdí sin duda la ocasión de transmitir al ministro cuál era el ambiente reinante: "Su señoría sabe a estas alturas lo que es un 'pellón'; porque en Sevilla esa unidad contable surgió enseguida, no solamente como algo equivalente a mil millones, sino con cierta afinidad a la pólvora de rey y un cierto olor a chamusquina, que no necesariamente tiene que ver con incendios"[17].

Tampoco era cuestión de abandonarnos a un fatalismo complaciente. "Si usted viene aquí y dice que esto es un simple accidente, entonces cunde la desconfianza. Porque si la culpa es de Júpiter, ¿qué garantía tengo yo de que Júpiter vaya a estar de vacaciones en agosto? Ninguna. Ahora, si la culpa es de usted y usted me asegura que no se va a volver a repetir y me explica qué es lo que no se va a volver a repetir, yo estaré confiado e iré para allá"[18].

Como es sabido, "hay gobiernos irresponsables, y lo que quiero saber es si estamos disfrutando de uno de ellos. Ese es el problema,

---

16 Diario de Sesiones del Congreso de los Diputados, Comisiones. Año 1992. IV Legislatura, Núm. 391. Régimen de las Administraciones Públicas. Sesión núm. 15. Martes 25 de febrero de 1992, *ibidem*.

17 *Ibidem*.

18 Diario de Sesiones del Congreso de los Diputados, Comisiones. Año 1992. IV Legislatura, Núm. 391. Régimen de las Administraciones Públicas. Sesión núm. 15. Martes 25 de febrero de 1992, pág. 11534.

señor Zapatero, aunque lo excluye porque está instalado en el olimpo de los dioses. Yo, que estoy en la tierra, quiero saber si tengo un gobierno responsable o irresponsable. Será responsable si responde, no si es gobierno. Esa es la cuestión".

"Usted no me ha respondido, respóndame. ¿Qué ha pasado, por qué ha pasado, qué medios puso para que no pasara? Porque si no tendremos que sacar a Júpiter en procesión. No hay otra explicación y, al no haber otra, debe haber sido un rayo divino, porque todo estaba perfectamente previsto y se ha hecho de una manera maravillosa. Ahora lo que tenemos que hacer es poner una medalla a cada uno y pedir a Júpiter que apunte para otro sitio"[19].

Quizá —indiqué— el problema empezó cuando "el señor Olivencia es cesado, ese día deja de ser una cuestión de Estado para algunas personas, que creían que entender la Expo como una cuestión de Estado era hacer el primo. Ese es el problema, señor Zapatero; señores de su partido, esa es la cuestión. Se perdió mucho tiempo con esa historia y hoy se va contra reloj"[20].

El señor Pellón terminó por reconocer: "Evidentemente —no me lo vuelva a decir— algo se hizo mal. Lo que no le puedo decir es quién ni cómo ni en qué momento. No llego a tanto, se lo aseguro. Algo se debió hacer mal porque el pabellón se nos ha quemado"[21].

---

19 Diario de Sesiones del Congreso de los Diputados, Comisiones. Año 1992. IV Legislatura, Núm. 391. Régimen de las Administraciones Públicas. Sesión núm. 15. Martes 25 de febrero de 1992, págs. 11541 y 11542.

20 Diario de Sesiones del Congreso de los Diputados, Comisiones. Año 1992. IV Legislatura, Núm. 391. Régimen de las Administraciones Públicas. Sesión núm. 15. Martes 25 de febrero de 1992, pág. 11542.

21 *Ibidem*.

12. LABORIOSO CONTROL PARLAMENTARIO

En las Navidades de 1991 una llamada telefónica personal de Aznar me había propuesto que me encargase de modo especial del control parlamentario de la cuestión. Las cifras de mis intervenciones pasan a ser: 154 preguntas escritas (por 15 de IU), 60 solicitudes de información (por 2 de IU), 11 solicitudes de comparecencia en Comisión (por 2 de IU), 4 preguntas orales planteadas ante el Pleno, y otras 8 en Comisión (por 3 de IU). La post–Expo obligará luego a prolongar esta tarea. A finales de 1996 las iniciativas habrán procedido en 345 casos del PP (79% del total), 38 de IU, 28 del PA, 16 del PSOE, 4 del CDS y 1 del PNV.

El 13 de octubre de 1992, hubo también comparecencia parlamentaria del señor Pellón, al que no resultó superfluo tranquilizar al respecto: "Nosotros no pretendemos descubrir cosas malas, ni trapos sucios, entre otras cosas porque no sabemos si los hay y, por tanto, no tiene ningún sentido. Nosotros pretendemos descubrir lo que está oculto, y hay cosas que han sido ocultadas, señor Pellón. Este es el motivo de la comparecencia. Probablemente por falta de práctica en lo que es la gestión de fondos públicos en un sistema parlamentario, se han ocultado cosas sin ningún motivo"[22].

Fue inevitable pasar revista a situaciones poco explicables, que bordearon con frecuencia lo cómico o lo surrealista. Por ejemplo, tras interesarse el grupo popular por emolumentos recibidos por varios contratantes y resistirse Pellón a facilitar tal información, acabó enviando un mazo de folios con una interminable lista de empresas, pero recortando pudorosamente del margen las cantidades recibidas; lo que no dejó de quedar en evidencia.

"Usted ha hecho perder el tiempo, que es dinero, al que ha hecho estas fotocopias, obligándole a tapar partes de la fotocopia, y por

---

[22] Diario de Sesiones del Congreso de los Diputados, Comisiones. Régimen de las Administraciones Publicas. Año 1992. IV Legislatura. Núm. 540. Sesión núm. 28. Martes 20 de octubre de 1992, pág. 16223.

aquí asoma impúdicamente la nariz de un dos, que no ha quedado suficientemente tapado. Usted ha tapado los números. (...) Para tapar esto hay que hacer las fotocopias una a una, y se tarda muchísimo más y, sobre todo, se defrauda el control parlamentario, que es lo que usted ha hecho. Y eso es grave. ¿Por qué nos oculta usted sus números, señor Pellón? ¿Por qué en una exposición universal no se ha expuesto todo? Se ha expuesto todo menos los números del señor Pellón"[23].

Se hacía obligado el consabido rapapolvo. "Lógicamente, si contrata con el Estado, sabe que las condiciones del contrato tienen que ser conocidas por quien corresponda, que hará luego un uso razonable de esa información, y hasta ahora no hay ni un solo motivo de reproche hacia ningún diputado de mi grupo por haber hecho un uso poco razonable de la información recibida. Al negar esos datos, usted hace dos cosas: primero, establece una censura previa, prohibida por la Constitución; según ella, usted es el que va a decidir si yo voy a hacer o no un uso poco razonable de la información que me da. Ni usted ni nadie está autorizado a hacer esa censura previa".

"No, señor Pellón, usted explique aquí las cuestiones y no me invite a ir a ver el archivo. Simplemente no me tape los números. No me invite a ver el archivo. Con que no me tape los números, me conformo. Luego, cuando haya estudiado los números, a lo mejor voy a ver el archivo, pero, para empezar, no me tape los números. Algo tan simple como eso. No se trata de pedir la luna". "No tiene usted que invitar a nadie a ningún sitio. Nosotros invitamos a los papeles a venir aquí. Si ha venido usted, que tiene muchas cosas que hacer, mucho más van a venir los papeles que no tienen nada que hacer, salvo estar cogiendo polvo"[24].

---

23 Diario de Sesiones del Congreso de los Diputados, Comisiones. Régimen de las Administraciones Publicas. Año 1992, IV Legislatura. Núm. 540. Sesión núm. 28. Martes 20 de octubre de 1992, pág. 16226.

24 Diario de Sesiones del Congreso de los Diputados, Comisiones. Régimen de las Administraciones Publicas. Año 1992, IV Legislatura. Núm. 540. Sesión núm. 28, martes, 20 de octubre de 1992, págs. 16224 y 16239.

Obviamente, pequé de optimista. Cuando, con motivo de tan curiosa situación, recurrí en amparo al presidente del Congreso —Félix Pons— me llevé un buen chasco. No dudó en afirmar que el reglamento de la cámara no pretende "garantizar un desplazamiento material de documentos originales o de copias de los mismos", sino "facilitar el mejor cumplimiento de la función parlamentaria de los Diputados". Daba por hecho que en "la inmensa mayoría de los casos ese conocimiento se adquiere a través de copia remitida por la Administración, pero en algunos supuestos la naturaleza de la materia a la que se refieren los documentos o el volumen de los datos o información a que se desea tener acceso han hecho preciso que ese conocimiento se obtenga no mediante desplazamiento material de copia de los archivos públicos, sino mediante la puesta a disposición incondicionada de tales archivos y registros"[25].

Eso implicaba dejar en manos del Ejecutivo el juicio sobre qué le interesa, o deja de interesar al diputado —harto de comprobar cómo en comparecencias públicas se evita precisar dato alguno en envíos que tapan parte de los documentos— invitándole a que se fuera de excursión a Sevilla, a los archivos, para comprobar qué les va bien enseñarle y sin tener tiempo —salvo que se otorgue a sí mismo vacaciones parlamentarias— para analizar y estudiar el contenido; asunto imposible de resolver con una mera inspección ocular. Que el amable escrito presidencial estuviera firmado el 28 de diciembre —festividad, como es sabido, de los santos inocentes— no resta gravedad a la situación.

---

[25] Documento 186/3409/2.

13. FUGITIVOS[26]

Menudean iniciativas del Grupo Socialista en el Congreso aparentemente encaminadas a controlar la gestión de la Expo. Apenas una semana después de que invitara a comparecer en la Cámara al diplomático Casinello, plantea en la Comisión de Relaciones con el Tribunal de Cuentas una solicitud para que se fiscalicen las Sociedades Estatales implicadas en los fastos del 92. Tales amagos de celo controlador no lograr ocultar una clara estrategia.

El propio señor Pellón —al que, sintomáticamente, nunca ha llamado el grupo parlamentario socialista— mostró su asombro al verse sometido a control parlamentario cuando no se había cumplido una semana de la clausura de la Exposición. Más asombrada aún estaba la oposición, acostumbrada a que sus peticiones de comparecencia tarden no menos de un mes en verse atendidas. El Gobierno mostraba un notable interés en que el señor Pellón se quitara de en medio cuanto antes. Tiembla, al imaginarlo con su poco diplomático talante, viéndolo tomar la palabra entre las paredes del parlamento; de ahí que prefiriera que tan duro trance se oficiara enseguida.

Nos hallamos ante una indisimulada fuga hacia adelante con visos de estampida. Se huye del parlamento —al que se niega información con procedimientos que atentan al mínimo decoro—, porque sobre él se ciernen los focos de la opinión pública, a la que se teme más que a un nublado. Se establecen dos puntos de llegada faltos de toda transparencia: la Isla de la Cartuja y el Tribunal de Cuentas.

A los diputados de la oposición, afanados por llevar a cabo el control parlamentario sobre la gestión de la Expo, el gobierno les invita a un divertido esparcimiento: no les envío documentación, porque luego acabará en la prensa (sic). Vengan ustedes a la Isla de la Cartuja, donde les dejaré jugar a la gallina ciega; cuando se cansen de husmear papeles, avisan y echo la tranca. Si los números no son

---

[26] Publicado en Andalucía Actualidad el 10 de diciembre de 1992..

secretos, no se entiende muy bien por qué no se los envía quien conoce su paradero, sino que se les anima a que se desplacen, los busquen y encuentren, si les acompaña la suerte, para anotarlos finalmente de su puño y letra. Puro afán de dar facilidades...

La otra meta de tan precipitada fuga era el Tribunal de Cuentas, órgano de control contable y no político, alejado de los medios de comunicación. Su paciente labor metería en el congelador la atención pública hasta dar tiempo a que olvidara la cuestión.

La relación entre el Tribunal de Cuentas y la Expo, por otra parte, no había podido empezar de modo más conflictivo. Como aperitivo, alguien denunció desde la Auditoría Interna de la Expo que se estaban atusando expedientes, para que el Tribunal no acabara sorprendiéndolos con ciertos pelos. Ante la posibilidad de que el archivo óptico —mil milloncejos de coste— denunciase enojosas discrepancias, no faltó quien sugiriera —"a grandes males grandes remedios" (sic)— su posible combustión. Al fin y al cabo, ya el máximo responsable de la Expo aclaró ante un atónito auditorio parlamentario, consternado por el incendio del Pabellón de los Descubrimientos, que "todo arde".

Algo después —mucho antes de que el parlamento solicite la fiscalización y sin que el propio órgano fiscalizador hubiera adoptado acuerdo alguno al respecto— se niegan a los diputados documentos pretextando que están sometidos a análisis del Tribunal de Cuentas. La verdad es que algunos de sus funcionarios —enviados por no se sabe quién— habían llegado a trabajar en la Isla de la Cartuja, aunque acabaron siendo retirados cuando el asunto transcendió.

Pasan unos días y la prensa anuncia que el señor Fernández Centeno —ponente poco convincente del caso Filesa— será el encargado de auditar la Expo. Que se sepa, nada había acordado el Tribunal al respecto, aunque sí es sabido que D. Eliseo había ya visitado por su cuenta la Cartuja y resulta ser el Consejero que se ocupa de las Sociedades Estatales. Casualmente, el grupo parlamentario socialista muestra un notable interés porque se auditen todas y solas

las citadas Sociedades y no el conjunto de los fondos públicos gestionados por otra vía. Esto no sólo permite juegos malabares, a la hora de situar inversiones o contratos dentro o fuera de la Sociedad Expo, sino que aspira a predeterminar que sea el abnegado D. Eliseo —no confundir con D. Eligio...— quien acabe preparando los papeles y manejando la calculadora.

Esta huida frenética del parlamento, pretendiendo recluir a inquietos diputados en la Isla de la Cartuja y situando papeles en el Tribunal de Cuentas, antes incluso de que éste los solicite, deja flotando un interrogante: ¿de qué están huyendo?

14. UN PRESUPUESTO SE CONVIERTE EN POST–SUPUESTO

"Parece lógico [había indicado a Pellón en nuestro anterior encuentro] que cuando se elabora un proyecto haya un presupuesto y se vaya cotejando si se cumple o no. Yo me permití en su día solicitarle el presupuesto relativo a la Cabalgata de la Expo. Ante mi sorpresa, me acaba contestando que no me puede dar el presupuesto de la Cabalgata, porque la Exposición está en marcha y aún no ha terminado. Señor Pellón, ¿cuándo hace usted el presupuesto, antes de empezar la Cabalgata o cuando termina? Yo entiendo por un presupuesto algo que se hace antes y que sirve de control de la ejecución posterior. Si no, sería una especie de post–supuesto, pero no de presupuesto. No entiendo por qué no me da el presupuesto de la Cabalgata. ¿Es que no quiere que me entere de si posteriormente se ha desfasado? Es que tengo derecho a enterarme".

"Sociedades participadas. Usted ha llevado al extremo el lema del barón de Coubertin. Para usted lo importante era participar y se ha empeñado, en contra de la opinión de alguno de los gestores que acabaron fuera de la Expo, en crear sociedades participadas. No se ha limitado solamente a ser gestor de un invento bastante complicado, sino que se ha metido a empresario. El resultado de las sociedades participadas no ha sido muy brillante que digamos. Coral, por ejemplo, la encargada de los alojamientos, para la que usted había anunciado unos beneficios —y había convencido a sus socios de que iban a ser tales— de ocho mil millones de pesetas, se ha quedado en un déficit de cuatro mil millones. Una diferencia de 12.000 millones no está mal para ser una sola empresa". "Como usted se había atribuido, a pesar de tener un capital del veintitantos por ciento, unos beneficios ligeramente superiores al cincuenta por ciento, en el arbitraje final en que ha terminado el rosario de la aurora de Coral, a usted el árbitro le obliga a pechar con más del cincuenta por ciento de las pérdidas, que es dinero de los ciudadanos. Usted ha hecho perder a los ciudadanos un dinero por meterse a participar en un asunto, cuando su experiencia hotelera no parece que fuera excesiva" [27].

Pellón, como es lógico, ofrecía sus argumentos: "tenía necesidad de gestionar una ciudad, que parece que ustedes tampoco conocen, del tamaño de la Villa Olímpica, que se llama Ciudad Expo; de eso no se habla, parece que la Ciudad Expo no ha existido; es que funcionó muy bien y la gestionó Coral"[28].

Quedaba en el aire una pregunta: "¿Por qué no contrata usted directamente con los auténticos expertos, en vez de hacerlo con empresas que parece que sólo sirven para actuar como pantallas?". Con Coral estuvo igualmente relacionada la empresa "Alojamientos Exhibit", que la participaba en un 14.28%. Se trataba de una empresa en la que el INI tenía desde 1989 una participación mayoritaria del 55,56%; acabó presentando suspensión de pagos con un pasivo superior a los 400 millones de pesetas. El propio gerente de Exhibit censuró la "equivocación de poner en marcha el programa con demasiada antelación".

El gobierno me ha informado el 27 de abril del 92, poco antes de que el proyecto se diera por fracasado— de que la sociedad estatal Expo 92 consideraba que el programa "mejorará y ampliará considerablemente las posibilidades de alojamiento de los visitantes". La empresa Exhibit, estaba presidida por Ignacio García de Cortázar, casado con la vicepresidenta de la Comisión Nacional del V Centenario, Pina López Gay. Participó igualmente, con Auxini y la empresa pronto hundida La Factoría Andaluza, en el Parque Andalucía de los Niños. También en este caso el gobierno me negó toda información, aunque la empresa pública "Exhibit" asumía el 30% del proyecto. Pretextó que se trataba de "un programa cuya concesión corresponde al Pabellón de la Junta de Andalucía".

---

[27] Diario de Sesiones del Congreso de los Diputados. Comisiones. Régimen de las Administraciones Publicas. Año 1992, IV Legislatura. Núm. 540. Sesión núm. 28. Martes 20 de octubre de 1992, pág. 16225–16226.

[28] Diario de Sesiones del Congreso de los Diputados. Comisiones. Régimen de las Administraciones Publicas. Año 1992. IV Legislatura. Núm. 540. Sesión núm. 28. Martes 20 de octubre de 1992, pág. 16236.

Por cierto, que el contrato de Parque de Andalucía, una de las atracciones destinadas a los niños, se adjudicó a la citada empresa La Factoría Andaluza, uno de cuyos propietarios era la esposa de Jacinto Pellón. Curiosamente, esta empresa. por carecer de experiencia en construcción de maquetas, subcontrató a su vez a otra[29].

Cuando salió a relucir Ríococon[30], se dio a entender que fue incluida para evitar que la contrata fuera en exclusiva para Dragados y apunté que resultaba aún menos convincente: "Yo tengo aquí un papel donde hay solo seis contratos y tres son de Dragados y Construcciones: Edificio Expo, 3.000 millones de pesetas; Expo–Umbráculo, 200 millones de pesetas; tren panorámico elevado, 2.600 millones de pesetas. Todos son de Dragados y Construcciones; o sea que no dé usted la impresión de que aquí Dragados y Construcciones ha tenido la tragedia de que, como un antiguo empleado suyo está en la Expo, no ha podido ser contratada"[31].

"Yo he recibido el día 13 de octubre algo tan curioso como el balance del ejercicio de 1982. Repito que lo he recibido el 13 de octubre cuando lo había pedido en abril. ¿Qué pasa?, ¿que el 13 de octubre de 1992 han hecho el balance de 10 años antes?, ¿o es que ustedes se habían conjurado —y ésa es la auténtica conjura— para que no saliera un número de la Exposición Universal antes del 13 de octubre?. ¿Eso es admisible en un sistema democrático, señor Pellón? ¿Eso tiene algo que ver con la eficacia y con la agilidad? Esto es lo que preocupa a nuestro grupo"

---

29 Reflejado en ABC de 16 de mayo 1993.

30 Sobre el contrato con Ríococon versa en buena parte una peculiar comparecencia del señor Pellón al respecto: Diario de Sesiones del Congreso de los Diputados. Comisiones. IV Legislatura. Núm. 638. Régimen de las Administraciones Publicas. Sesión núm. 38. Miércoles 17 de marzo de 1993, págs. 19204–19227.

31 Diario de Sesiones del Congreso de los Diputados, Comisiones. Régimen de las Administraciones Publicas. Año 1992. IV Legislatura. Núm. 540. Sesión Núm. Martes, 20 de octubre de 1992, pág. 16239.

"La publicidad es el imperativo categórico de un político. Cuando un político tiene dudas de si debe hacer algo o no, basta con que se pregunte si se puede hacer público, o no, lo que hace; pues todo aquello que no se puede hacer público no se debe hacer". "Con arreglo a ese criterio, la mayoría de las cosas que usted ha hecho no se deberían hacer, porque no las hace públicas, por lo que da la sensación de que usted mismo se condena".

"Y sepa una cosa, señor Pellón. En esta Casa, preguntar no es ofender. Esta es la Casa de la pregunta y la Casa de la respuesta. Por tanto, no se sienta ofendido. En esta Casa, porque aquí hay hombres públicos, no rige la presunción de inocencia nunca, rige la presunción de responsabilidad[32].

La ya citada empresa Ríococon acabaría haciendo historia. Con un capital de veinte millones, aspiraba a facturar más de tres mil millones asumiendo la construcción de los 43.000 m2 de las estructuras modulares de la Expo, con un beneficio de unos 2.000 millones, tras la pactada recompra de los elementos en juego. Las discrepancias entre las partes fueron continuas. Cuando se estaba hablando de la facturación del 10%, los socios portugueses de la empresa, constituida con posterioridad de la adjudicación del contrato, afirmaron que se les había exigido "una comisión de 150 millones para el PSOE". Los socios españoles lo desmintieron calificándolo de "un invento que tenía la finalidad de conseguir de ellos una rebaja en el precio de definitivo del contrato". Tras varias peripecias, faltos de financiación bancaria, el contrato acabó, a finales del 90, asumiéndolo Dragados y Coordinación, sacando los portugueses dos años después a relucir la famosa comisión como presunto motivo[33].

---

32 Diario de Sesiones del Congreso de los Diputados. Comisiones. Régimen de las Administraciones Publicas. Año 1992. IV Legislatura. Núm. 540. Sesión núm. 28. Martes 20 de octubre de 1992, págs. 1627, 1628 y 16239.

33 ABC de Sevilla de 9 de marzo 1993. Información paralela en la edición de Madrid del día siguiente.

Pellón, que se negaba a facilitar al parlamento información sobre los contratos de la muestra y otro tipo de datos a los partidos de la oposición, con el argumento de que hay demasiados papeles y era físicamente imposible transportarlos a las Cortes; pero no todos parecían afectados por ese tipo de problemas; el portavoz del grupo socialista —Antonio Cuevas— dispuso de documentos internos facilitados por la propia Expo.

Aprovechando alusiones de algunos parlamentarios a Olivencia, Pellón volvió a insistir en sus tesis, que tanto habían molestado al comisario y sus antiguos colaboradores. Afirmó que no había ido a la Expo a petición propia, "sino porque estaba completamente bloqueada". Para apoyar su opinión dijo a los diputados —"ustedes, que leen tanto"— que leyeran la prensa de la época.

15. INFORMACIÓN ES PODER

No es preciso haber leído mucho a Maquiavelo para comprender hasta qué punto información y poder acaban mutuamente relacionados, Más de diecisiete años de tarea parlamentaria me han brindado un interesante trabajo de campo al respecto. Si a ello unimos el parentesco entre dinero y poder, el cuadro cobra nuevos matices. Los debates sobre la Expo ofrecieron más de una ocasión de comprobarlo, sobre todo si la tarea parlamentaria se concibe como estudio y análisis y no como mero ejercicio retórico.

De ahí la importancia de las prerrogativas de un representante popular: estar en condiciones de solicitar al Ejecutivo cuantas informaciones considere necesarias, para poder someter tal función a control parlamentario. De modo quizá rutinario recabé, por ejemplo, de los responsables de la Expo un informe sobre las previsiones existentes sobre el papel de los bomberos ante posibles siniestros. Presenté tal solicitud el 28 de abril, pero el gobierno dejó transcurrir el plazo de respuesta establecido, no solicitó prórroga alguna y, tras no pocas reclamaciones, al fin el 30 de julio el presidente del Congreso se animó a exigir formalmente la entrega de la información requerida[34].

Volviendo la oración por pasiva, resulta fácil entender el escaso entusiasmo que produce a quien goza de poder que circulen en demasía los papeles. La opción entre opacidad y transparencia resultará clara. El señor Pellón era poco dado a suministrar papel, sobre todo si pudiera acabar en algún medio de difusión, para algo que no fuera propaganda. Lo hacía además como si se tratara de una exigencia técnica; sin escrúpulos, al no considerarse a sí mismo político.

Mi petición resultó, como tantas otras, desatendida. Lo curioso fue el argumento en pro de la opacidad. Me vi obligado —a propó-

---

[34] ABC de Sevilla 22 de agosto 1992.

sito de otros papeles— a recordarle que me los había negado pretextando que los había enviado al Tribunal de Cuentas: "me dijo lo mismo cuando le pedí el informe de los bomberos sobre el incendio lamentable del Pabellón de los Descubrimientos, que luego todo el mundo sabe a qué se debió: a que un señor estuviera con un soplete en un edificio ya cerrado, rodeado de material inflamable sin que hubiera un extintor al lado, tal como obligan las normas jurídicas: usted sabe que eso es lo que ocurrió, y a estas alturas sigo sin tener el informe de los bomberos, porque, según parece, usted se lo mandó al juez. Por lo visto ustedes sólo tienen un informe y cuando se lo mandan a alguien se quedan sin él"[35].

En el fondo latía el reconocer o no como autoridad a cualquier parlamentario. Un tribunal no se anda con chiquitas y —siendo autoridad— puede sancionarte. A un parlamentario, tras decenios de dictadura, hay quien no le reconoce autoridad alguna; como no tiene nada que hacer, se entretiene complicándote la vida pidiendo papeles.

Con lo que yo no contaba es con que me ocurriera lo mismo con mi colega académico, investido por entonces de autoridad. En una pregunta oral formulada ante el Pleno, interrogué a Virgilio Zapatero sobre "qué razones justifican que el sr. ministro ocultara a esta Cámara datos sobre deficiencias en las medidas de seguridad del incendiado Pabellón de los Descubrimientos de la Expo–92".

Me pareció que no "deja de ser curioso que un informe que existía 20 días antes, donde se señalaban deficiencias capaces todas ellas de explicar el incendio, no haya llegado a su poder, y que tampoco tenga conocimiento del mismo el propio señor Pellón, según usted está dispuesto a creer". "Pero es que ustedes pretenden, mediante ese informe —que dice que ha enviado al juez y no a los parlamentarios— que sean los jueces los que juzguen la posible ineptitud de

---

35 Diario de Sesiones del Congreso de los Diputados. Comisiones. Régimen de las Administraciones Publicas. Año 1992. IV Legislatura. Núm. 540. Sesión Núm. 28. Martes 20 de octubre de 1992, pág. 16226.

un ministro, y esto ya pasa de castaño oscuro. Parece que tenemos un gobierno tan convencido de su culpabilidad que entiende que el control de su gestión no corresponde al parlamento, sino a los juzgados. Seamos serios, señor ministro, aunque la verdad es que existe un poco de lógica en su actitud, porque —como dicen en Sevilla— lo suyo tiene mucho delito y, por tanto, entiendo que haya mandado al juez ese informe. Pero lo que debía haber hecho era enviarlo aquí, a la Cámara, para que los Diputados lo valoremos políticamente, a la vez que la opinión pública; y si algún ciudadano entiende que esa valoración es de juzgado de guardia, irá al juzgado de guardia y algún juez le pedirá a usted el informe; porque, si no, estamos utilizando el poder judicial como coartada para eludir responsabilidades políticas".

"Usted está haciendo de complaciente carabina mientras que el señor Pellón hace lo que le parece, no sólo con las normas jurídicas sino también con las más elementales exigencias del sentido común"[36].

La respuesta reincidía en ello por partida doble; al ignorar que todo papel es susceptible —a estas alturas— de copia y por considerar prioritaria la autoridad del juez respecto a la del parlamentario. Se ve que la desjudicialización de la política no estaba aún de moda. De ahí que se me dijera: "No tengo que esperar a que S. S. conozca o no un documento para que lo valore y sea usted el que decida remitirlo a un juez o no. Es mi primera obligación, como miembro del Gobierno, cuando entiendo que un documento puede ser relevante a los objetos de una investigación judicial abierta, ponerlo en comunicación del juez"[37].

En cualquier caso, el incendio supuso un jarro de agua fría en los prolegómenos de la Expo, superior incluso al espectacular hun-

---

[36] Diario de Sesiones del Congreso de los Diputados. Pleno y Diputación permanente. Año 1992. IV Legislatura. Núm. 178. Sesión Plenaria núm. 172. Miércoles 1 de abril de 1992, pág. 8763.

[37] Virgilio Zapatero *ibidem*.

dimiento de la reproducción de la Nao Victoria en plena botadura en Isla Cristina el 22 de noviembre de 1991, cuyo coste había sido de 160 millones de pesetas, según recogía la prensa[38] de una de mis preguntas parlamentarias.

38 ABC 7 de junio de 1992.

16. PETICIÓN DE AMPARO ANTE LOS MISTERIOS

Lo peor del asunto es que tampoco en las mismas Cortes Generales se valora adecuadamente la postergada *auctoritas* del parlamento. Al menos en seis ocasiones me vi obligado, durante esa legislatura, a reclamar el amparo de la presidencia. Mis preguntas escritas dirigidas al Gobierno, no solo no se habían visto cumplimentadas en el plazo reglamentariamente establecido, sino que ni siquiera se había solicitado la obligada petición de prórroga. La presidencia, probablemente, prefirió que fuera el propio diputado el que, con la reiterada petición de amparo, actualizara su interés por la cuestión. Al fin y al cabo, repasar mis protestas me podría ayudar a resaltar el alcance de la anomalía y, a la vez hacer públicos los problemas que las suscitaron.

En la primera reacción[39], ante las calladas sin respuesta se habían solicitado datos de la Expo sobre "contratos realizados por adjudicación directa, si habían o no pasado por mesa de contratación, qué circunstancias excepcionales lo habían justificado, si excedían de 1.500.000 pts. y contenido del preceptivo informe de la Asesoría Jurídica al respecto". Me permitía atribuirlo al "afán del Gobierno por rodear del máximo misterio los extremos relativos a la contratación de la Expo–92". Tres meses después, sin haber solicitado prórroga alguna, el Gobierno se limitó a adjuntar una relación de contratos sin especificación alguna sobre ninguna de las cuestiones requeridas, lo que me obligó a registrar una nueva petición de amparo: para que "se exigiera al gobierno el envío de la información íntegra solicitada en su momento y, en concreto, de la cuantía económica de cada contrato; extremo sin el cual el resto de la información carecería de sentido. El Gobierno no contaba con otra dificultad para ello que la de renunciar a ocultar la columna que tapó en su simulacro de respuesta". Al final, habiendo caducado la iniciativa —con motivo de la disolución de las Cortes de la IV Legislatura— debí reiterarla en la siguiente.

---

39 Fechada el 5 de marzo de 1993.

El gobierno pretendió más tarde sustituir su deber, mediante una presunta puesta a disposición —en condiciones no determinadas— de archivos y registros. Esto me llevó a recordar a la presidencia[40] que es preciso que el conocimiento de los datos se instrumente del modo más adecuado, para "facilitar el mejor cumplimiento de la función parlamentaria de los Diputados". En caso contrario, "el gobierno estaría asumiendo -quizá por su implícita delegación— una decisiva competencia de V.E.: el dictamen final sobre el modo de facilitar el mejor cumplimiento de la función parlamentaria de los Diputados".

"En resumen, este Diputado no duda en afirmar que cuando el Gobierno le envía relaciones de contratos de la Expo realizados por adjudicación directa, malgastando tiempo en tapar, al fotocopiarlas, la columna relativa a su importe, sin aliviar por ello ni un ápice el volumen físico de documentación desplazada, el modo de 'facilitar el mejor cumplimiento de la función parlamentaria' sería enviarle idéntica relación, ahorrándose el tiempo necesario para tapar las cifras que al Diputado particularmente interesan y sin aumentar por ello ni un ápice el volumen físico de documentación desplazada"[41].

Por ello, como diputado, no me muestro "dispuesto a acudir a ningún archivo ni registro sino como consecuencia de la aceptación de un dictamen *ad casum* emitido por V.E. en cumplimiento de las responsabilidades de su cargo, negándome a aceptar que sea el gobierno quién decida cuándo este diputado debe hacerlo, sin molestarse siquiera en motivar en cada caso tal pretensión".

Así pues, solicité a la presidencia que me amparara de modo efectivo, ya que —en caso contrario— me "vería obligado a acudir en amparo al Tribunal Constitucional, de acuerdo con el artículo 42 de la Ley Orgánica que regula su funcionamiento"[42].

---

40 En escrito fechado el 18 de enero de 1993.

41 *Ibidem*.

42 Observación que me vi obligado a reiterar en escrito fechado el 19 de febrero de 1993, en relación a su petición de las auditorias de la Expo.

No faltó quien titulara: "Aznar exigirá en el Constitucional la auditoría de la Expo", recordando que yo había afirmado que el gobierno "ha seguido una táctica de ocultar sistemáticamente toda información sobre los aspectos contables, económicos y de gestión de la Expo–92 como si se tratara de secretos de Estado"[43].

Otra pregunta escrita[44], sobre la "misteriosa contabilidad de la Sociedad Estatal EXPO–92", había denunciado "la abundancia de contradicciones e incoherencias que se observan, a poco que se cruce la información recibida contrastándola, así como por el desaliño impropio del necesario rigor y transparencia en el manejo de fondos públicos".

En otra pregunta posterior[45], relativa a los espectáculos de la Expo, se resalta que "el Gobierno no tiene inconveniente en facilitar datos detallados sobre número de asistentes —de pago o no—, e incluso acompaña —desafiando la posible ruina del país— dos gruesas cajas repletas de fotocopias de críticas de tales espectáculos, pero tiene buen cuidado en omitir todo dato sobre la primera y más relevantes de las cuestiones requeridas en dichas preguntas: el 'coste total de producción' de cada uno de ellos".

Entre los que más dudas suscitaron en los medios, por su costo y sospechas de amiguismo, imprevisión y despilfarro, de lo que me hice eco en una pregunta parlamentaria, destacó "Azabache", concebido como homenaje a la copla española, aunque sus promotores no aportaban razonables experiencias previas[46].

No faltó tampoco polémica por los pases de favor concedidos para asistentes, llegando el diputado andalucista Pérez Bueno a afirmar que se había llegado a expedir 80.000, cuando en la Expo trabajaban 20.000 personas; aunque el ministro Virgilio Zapatero los

---

43 El País 31 de marzo 1993.
44 Fechada el 29 de julio de 1992.
45 Fechada el 13 de noviembre de 1992.
46 Al respecto, ABC de Sevilla 13 de junio de 1992.

ampliaba a 37.250. Se condicionaban así las posibilidades de acceder por taquilla.

El ministro, a la vez, pronosticaba triunfalmente que la Expo acabaría aportando un superávit de 117.000 millones de pesetas. Dado los datos trabajosamente recibidos del gobierno, calculaba por mi parte que existía —ya en 1991— un déficit de 18.000 millones[47].

47 Al respecto, ABC de Sevilla 18 de junio y 30 de julio de 1992.

17. LOS ESPECTÁCULOS DE LA EXPO

Por mi parte, no había dejado de interesarme por el asunto de las entradas. Según me informó el gobierno[48], con petición expresa y durante el tiempo establecido, las Instituciones, los Participantes oficiales, las Empresas vinculadas a la Expo'92 y los colectivos y personas que tenían reconocido ese derecho, podían reservar un número de entradas a través de Sogexpo. Cuando el programador era un Participante Oficial o Empresa, tenían derecho a poder reservar hasta un máximo del 50% del aforo, un 20% se pone a disposición del sector turístico para su venta en ofertas cerradas, un 15% se reserva a los titulares de tarjetas Expo y el 15% se reparte por igual entre la taquilla centralizada del Auditorio y la del propio espacio escénico; por lo cual cuando éste se halla situado fuera de la Isla de la Cartuja sólo llega al público en general un 7'5% de las entradas[49].

Las cifras facilitadas correspondientes a la asistencia a los espectáculos programados durante el primer trimestre de la Expo, el gobierno las consideraba "significativas de la eficacia del sistema, dado el frecuente clamor popular por la enorme dificultad de hacerse con entradas". En realidad, sin embargo, en veinte espectáculos no se había llegado a llenar la mitad del aforo, llevándose la palma el Teatro Lope de Vega en ocho, seguido del Auditorio en cinco, la Maestranza en cuatro y el Teatro Central en tres. Los espectáculos en los que no se superaron los tres cuartos de entrada se elevaron a sesenta y uno, siempre con el Lope de Vega en cabeza (27, con una media global del 55%), seguido del Central (13, con una media del 78%), el Auditorio (12, con una media del 75%) y la Maestranza (9, con una media del 80%). El total de asistencias por mes arrojaba una media del 59% en abril, el 79% en mayo y el 74% en junio.

El espectáculo "Azabache", cuyo presupuesto había levantado notable polémica, había llegado a tener aforos de sólo el 27% y

48 El 6 de agosto 1992.
49 Reflejado en ABC 1 de septiembre de 1992.

el 45%, los días 13 y 15 de junio, y no llegó a los tres cuartos en otras cuatro de sus doce representaciones; mientras, la "Yerma" de Cristina Hoyos nunca bajó del 78% en los tres pases realizados en el mismo recinto.

De los datos que obtuve se deducía que en quince ocasiones el número de espectadores de "corte oficial" había superado con creces a los que pasaron por taquilla. La "Antología de la Zarzuela" albergó el 25 de julio en el Auditorio a 2.070 *gratis et amore* y por la taquilla habían pasado 841. Lo mismo había pasado el día anterior con 1.250 gratis y 657 de pago y el 9 de julio con 1.020 y 789[50].

Pellón acabaría intentando justificar su negativa a aportar datos sobre el coste de los espectáculos, con las excusas más peregrinas: "es difícil dar estos datos, porque usted no sabe los problemas que supone, por ejemplo, intentar contratar a Monserrat Caballé y que esta sepa lo que cobra Victoria de los Ángeles". Tuve que decirle: "El espectáculo más lamentable de Expo, es el que usted ha venido dando al negarse a facilitar a esta Cámara la información de que dispone". "Usted, por ejemplo, afirmó en esta Cámara que la querella interpuesta por el señor Cabello" —que afirmó que se estaban maquillando documentos sobre el alcance de gastos— "había sido archivada, y que usted había iniciado acciones legales contra él. Sin embargo, curiosamente, olvidó decir que su querella no fue admitida a trámite: Tampoco comunicó que el auto de archivo fue trasladado al Tribunal de Cuentas y además, esto es lo más preocupante, el Tribunal de Cuentas asegura que no encuentra ese documento. Como usted comprenderá, señor Pellón, esto huele a chamusquina".

Pellón intentó excusar la no remisión de datos, afirmando que so volumen era tal que no podían enviarlo a Madrid y volvió a reiterar que los diputados pueden trasladarse a Sevilla y consultar los expedientes que deseen. Le repliqué: "le he pedido el informe de Audi-

50 Reflejado en ABC 30 de octubre de 1992.

toría Interna, que me consta son diez folios y no creo para traer eso a Madrid se necesite un *container*"[51].

Ante el pleno del Congreso[52] comenté que las oscilaciones de la política de entradas y pases a la Expo demuestran que "para Pellón los sevillanos han sido siempre sólo los incómodos figurantes de su espectáculo y ha intentado moverlos como si fuera Cecil B. de Mille en los Diez Mandamientos: ahora entran ustedes, ahora no entran ustedes, ahora entran por la noche, ahora les cambio el pase de noche al de día, ahora vamos a estar quietos... Esta es una situación en la que el sevillano se ha convertido en el correturnos de la Expo".

"Por otra parte, una Expo suponía mostrarse capaz de hacer una oferta determinada para movilizar a un público concreto e identificado. Aquí no ha ocurrido así. Aquí ha sido la demanda la que ha acabado configurando la Expo. Un público muy distinto del que deseaba el señor Pellón se ha instalado en la Expo y la está haciendo a su imagen y semejanza, quizá para bien. El público del entorno fundamentalmente, porque de los extranjeros no hay mayor noticia".

"Se están tomando una serie de iniciativas que dan la sensación de que se pretende algo así como centrifugar el déficit. En esa búsqueda de un supuesto saldo cero (que, a lo mejor, alguien se lo cree al final) se están organizando por todas las administraciones, y por esa miríada de entes semipúblicos que ustedes han ido montando, viajes colectivos a la Expo con entrada regalada, con lo cual el déficit se va centrifugando entre diversas administraciones u organismos semipúblicos. A lo mejor, lo bordan ustedes y hacen electoralismo con eso, con lo cual tenemos un capítulo del *celtiberia show*, insuperable".

---

51 Reflejado en ABC de Sevilla de 18 de febrero 1993.

52 Diario de Sesiones del Congreso de los Diputados. Pleno y Diputación permanente. Año 1992. IV Legislatura. Núm. 199. Sesión Plenaria núm. 193. Miércoles 17 de junio de 1992, pág. 9978–9980.

"Sería una pena que, al final, lo de Cartuja 93 acabe convertido en no se sabe qué, o acabe suspendiéndose el día del ensayo general, como Azabache. Yo creo que ya va siendo hora de que ustedes definan qué es lo que pretenden ahí en concreto y no dejen colgando de no se sabe qué promesas o qué discursetes, algo que los empresarios exigen ver blanco sobre negro para poder confiar en ello".

La idea de la Expo como escaparate de una Sevilla capital de la tecnología y el I+D nunca estuvo al alcance de sus gestores. No se ha hecho la publicidad adecuada que atrajera a los posibles interesados; no se han aprovechado —lo dice el presidente de la sociedad Cartuja 93, que agrupa a los empresarios—, las visitas de grandes empresarios a la Expo para venderles la oferta, porque no existe tal oferta, la oferta cambia cada día..."

Cuando, años después, escribo estas líneas leo, abriendo un diario *on–line*: "El espacio que Sevilla mostró al mundo en 1992 como ejemplo de modernidad es hoy cara y cruz de la ciudad, sus parques empresariales y de ocio lindan con jardines degradados y espacios abandonados que son colonizados por vagabundos"[53].

---

53 ABC de Sevilla 29 de agosto 2025.

18. TELEMUNDI Y ECARSA: EMPRESAS PECULIARES

Volviendo a las preguntas, no faltó otra[54] relativa a "Modificaciones en el Consejo de Administración de Telemundi España SA, tras la firma de su contrato con la Sociedad Estatal EXPO 92". Hice notar cómo "a juicio de la Subdirección General de Empresas" tal contrato parecía "innecesario para gestionar ingresos procedentes de diversas fuentes comerciales, inoportuno por haberse firmado precipitadamente, con limitada concurrencia y con cuatro años de anticipación a las fechas de percepción de la casi totalidad de los ingresos esperados y excesivamente caro en términos de los porcentajes a percibir por el agente", que acababan alcanzando según la propia Sociedad Estatal— un 31% de los ingresos brutos.

Otra de las modificaciones convierte "en Vocal del Consejo de Administración de Telemundi España SA a D. Juan Bautista Calatayud Montiel, sin que se conozca hasta el momento el motivo —sin duda no menos relevante que el ya citado— de su presencia, ni la función que comienza a cumplir en la citada Sociedad al día siguiente de la firma de tan sustancioso contrato". Del interesado se conoce "su condición de consejero delegado de 'Viajes Ceres' empresa que compra meses después de la firma de este contrato y su presencia en empresas participadas por FILESA". "Ante este cúmulo de casuales coincidencias, y su posible carácter sintomático de la doble jerarquía de gestión impuesta en la Sociedad Estatal Expo 92, y sus imprevisibles consecuencias", se pregunta al Gobierno por el sentido de esta entrada "producida en paralelo a la incorporación al citado consejo del director general de la mencionada Sociedad Estatal" [55].

El contrato, por lo demás, fue modificado el 3 de agosto, acordándose que Telemundi cobraría porcentajes que iban desde el 30 al

54 Fechada el 29 de diciembre de 1992.
55 ABC de 5 de enero de 1993.

20 por ciento de los acuerdos comerciales, incluso de aquellos que se firmaron antes de su llegada a la Exposición Universal[56].

Las protestas por negativas a proporcionar datos relativos a Telemundi acabarían haciendo historia en la presidencia del Congreso[57]. Cuando insistí sobre el particular al señor Pellón, que se mostraba reacio a abordar la cuestión, en una de sus obligadas comparecencias, me acabó confesando: "reconozco que no ha sido responsabilidad mía. Ese tema me lo han dado hecho"; "Si tiene alguna sospecha de Telemundi, ese contrato es anterior a mi incorporación"[58]. Presenté posteriormente también, con el éxito imaginable, una pregunta[59] sobre el "volumen de contratación aportado por Telemundi a la EXPO 92".

Dentro de la apretada historiografía de la Expo–92 no dejan de destacar también las peculiares relaciones entre las empresas ALDEASA y ECARSA, que batieron récords al provocar una pregunta escrita[60], que llegó a incluir doce epígrafes interrogativos. Es bien conocida la experiencia y prestigio de ALDEASA en lo relativo a explotación de tiendas, lo que convierte en llamativo, para empezar, que para explotar algunas de ellas se viera obligada a acogerse —habría que pensar que en beneficio propio...— a participar en otra empresa de nueva creación (ECARSA); sobre todo al convertirse en todo un misterio, qué aportaban realmente los socios mayoritarios a dicho proyecto empresarial. ECARSA se crea, en efecto, el 19 de diciembre de 1990, participada por ALDEASA (45%) y ADVENT. Quizá para evitar quebraderos de cabeza, su domicilio social acaba siendo el mismo de ALDEASA.

---

56 ABC de Sevilla de 7 enero 1993.

57 De ello da fe el escrito fechado el 30 de junio de 1993.

58 Diario de Sesiones del Congreso de los Diputados. Comisiones. Régimen de las Administraciones Públicas. Año 1993. IV Legislatura. Núm. 608. Sesión núm. 33. Miércoles 17 de febrero de 1993, pág. 18292.

59 Fechada el 19 de junio de 1995.

60 Fechada el 13 de diciembre de 1995.

Ante las dificultades de gestión surgidas, ALDEASA acabará asumiendo, bajo la forma de ampliación de su participación en ECARSA, una notable adquisición de mercancías e inmovilizados, fruto aparente de compromisos fallidos de la segunda empresa. ALDEASA, socio minoritario, va poniendo el dinero, mientras los socios mayoritarios asumen la gestión, y control —de acuerdo con la cláusula vigésimo tercera del contrato— porque "se ha tenido en cuenta la profesionalidad, cualificaciones, reputación y experiencia del concesionario". No deja de resultar llamativo, dado que la empresa se había creado sólo un mes antes. Al final se firmará un tercer acuerdo por el que ALDEASA se compromete a vender el material del Quinto Centenario en sus tiendas de Aeropuertos, viéndose una vez más obligada a asumir los aspectos negativos de la gestión de ECARSA, en la que por lo visto no participaba para gestionar, pero sí para remediar los entuertos.

La Expo otorgó una segunda concesión a ECARSA, no menos polémica. La convocatoria resultó desierta —fenómeno llamativamente habitual en la contratación de la Expo—, lo que propició que se le acabara otorgando pese a no ofrecer mejores condiciones que algunos de los concursantes. Parece que los cánones por ventas que ECARSA debía pagar a la Expo podrían reflejar diferencias de difícil explicación cuando se comparan la primera y segunda concesiones comerciales: alrededor de quince puntos, duplicando en el segundo contrato el canon fijado en el primero. Antes de terminar la Expo dimite el director general de ECARSA…

19. LAS CUENTAS DE LA EXPO

Las auditorías sobre la Expo dieron paso a un ajetreado itinerario, del que se tardó en lograr noticia. La inicial auditoría interna detectó, entre 1988 y 1991, 188 deficiencias o irregularidades, que dieron pie a similar número de recomendaciones: contratos adjudicados sin publicidad ni concurrencia, diferencias de sueldo no justificadas, excesos de gatos de viajes y dietas, siendo subsanadas solo un 5%. Pellón las eliminó y el gobierno las ocultó durante tres años a la oposición. Se le había recomendado en diecisiete informes distintos que dejara de contratar a dedo los suministros y servicios. En resumen, un todo inventario de las irregularidades de la Expo[61].

Llegó junio de 1994 y la disolución de las Cortes dio pie a que las resultas de la Expo cobraran relevancia en la campaña electoral. El PSOE, a la defensiva, consideró oportuno poner a Olivencia en la picota. No dudé en reaccionar, considerando que se ilustraba gráficamente hasta dónde se podía llegar para no dejar el poder. "No respetan ni a quien convirtió su nombre en símbolo de honradez en una de las fases más oscuras del manejo socialista de los fondos públicos".

Recordé que "Felipe González cesó a Olivencia en la Expo por estorbar a los que querían llenarse los bolsillos de pellones. Cuando consiguieron quitarlo de en medio, no encontraron ya obstáculo para llevar a cabo un sistema de contratación tan falto de garantías como el que con tanto escándalo se reprochó a Luis Roldán. Que, tras ocultar sistemáticamente las informaciones que hemos reclamado los representantes de los ciudadanos, se permitan mencionar siquiera a la Expo en este trance electoral parece el último estertor de un régimen de gobierno del que hemos de liberarnos con el voto, por un mero imperativo democrático".

---

61 ABC de Sevilla 22 de octubre 1992.

Celebrado ya el aniversario de la clausura del evento, y dieciocho meses de haberlos solicitado, se consiguió que los rectores de la Expo informaran sobre la cuantía de los contratos adjudicados a dedo. Fueron 1.863, con una cuantía global estimable en 40.626 millones de pesetas.

La respuesta parlamentaria recibida reconocía que casi uno de cada cinco contratos de la Expo fue adjudicado a dedo (un 18%), aunque el gobierno consideraba que esto constituía "sólo una pequeña parte del volumen de contratación". Afirmó que se recurría al "sistema de adjudicación directa en supuestos en los que la concurrencia era imposible, ineficiente, inadecuada o innecesaria, es decir circunstancias excepcionales".

De los datos recibidos se desprende, por ejemplo, que Dragados —la empresa de la que procedía y a la que regresó Pellón— recibió un total de diecisiete contratos por dicho sistema, por un valor de 1.031 millones, aparte de los voluminosos que logró por concurso. Entre las constructoras sólo GHESA (Gibbs & Hill) recibe contratos similares, aunque de menor cuantía (dieciséis por un importe de 373 millones). El contrato más elevado adjudicado por tal sistema lo recibió Abengoa, por 2.137 millones, al que se añadirían otros cinco hasta llegar a los 2.794 millones. En otros sectores, el receptor de mayor número de contratos a dedo fue Juan Lebrón Producciones, que recibe hasta catorce relacionados con audiovisuales, por un importe global de 388 millones.

Los comentarios en la prensa fueron elocuentes: 1844 contratos a dedo. Una de cada cinco pesetas gastadas en la Expo fuera de concurso[62].

El Gobierno admitía que no todos los contratos adjudicados directamente pasaron por la mesa de contratación, ya que "la normativa de contratos fue adaptándose a las circunstancias". Aunque se exigió para contratos de más de 25 millones desde enero del 88,

---

62 ABC de Sevilla de 6 de junio 1994.

"cuando figurase acuerdo del presidente o consejero delegado, por circunstancias excepcionales, podía no tenerse que efectuar". Una de las razones que justificarían tal proceder sería "cuando se estime que la contratación ha de llevarse a cabo con discreción y sigilo".

Aseguraba el Gobierno que, si los contratos pasaron o no por la mesa de contratación, "no es un dato que figure en la base de datos y listados utilizados por el Departamento de Contratación de Expo 92", lo que le impide suministrarlo, aunque la comprobación contrato a contrato "podría realizarse directamente por la Sociedad estatal AGESA si dispusiera de medios y tiempo necesario". El Gobierno añade que la exigencia de un informe de la Asesoría Jurídica para justificar la contratación excepcional fue "atemperada" a partir del "1 de abril de 1991, quedando como trámite facultativo", por lo que "su carácter preceptivo como trámite en las adjudicaciones directas sólo estuvo vigente escasos meses". Tampoco la existencia de dicho informe figura en la base de datos...

No sucedió lo mismo con las ya aludidas recomendaciones. Sorprendentemente, el presidente de AGESA sí realizó, en octubre del 93, un voluminoso envío al Congreso de ciento cincuenta folios correspondientes a la valoración de activos realizada por Arthur Andersen, que ningún grupo parlamentario había solicitado, a la vez que, con el apoyo del Gobierno, continuaba negándose a facilitar las recomendaciones generales que su auditoría interna fue realizando semestralmente, hasta que la suprimió Pellón, en las que se señalaban irregularidades o defectos advertidos en la contratación.

Ello demuestra que no eran las alegadas razones de dificultad de traslado lo que llevaba a negar a los representantes de los ciudadanos determinados documentos, sino su previsible alcance político. Cuando se trataba de información inocua, se nos atiborraba de papel, pero cuando podían revelar la realidad de la gestión de la Expo se nos negaba con cualquier pretexto.

La misma suerte que las auditorías corrió el inicial Consejo de Dirección de los tiempos de Olivencia, según denunció su entonces secretario general José Luis Ballester. El gobierno se negó facilitar sus actas, con la excusa de que se trataba de una sociedad anónima, o que ocupaban demasiado espacio, aunque cuando solicité el informe Castell sobre Cartuja 93 me mandaron a mi casa siete tomos[63].

Al conocerse al fin tales datos, comenté: "Ya tenemos una idea de qué documentos el gobierno no tiene el menor interés en que los conozca la oposición: las auditorías internas, las actas del Comité de Direccíón.... Ahora ya sabemos por qué: porque demuestran cómo se hizo de verdad la Expo; sin garantías jurídicas, sin concurrencia pública, a dedo, con sobresueldos y dietas. con Telemundis descontroladas en competencia con la propia Expo"[64]...

Ya había aludido a ello en una rueda de prensa en el Congreso de los Diputados, en noviembre del 92, y reiteré más tarde que, si no lograba el amparo del presidente del Congreso, me vería obligado a acudir al Tribunal Constitucional. Félix Pons se comprometió a gestionar la entrega por el gobierno de lo solicitado[65]. Transcurridas unas semanas, opté por convocar una rueda de prensa el día de los Santos Inocentes, "ante el peligro de que el poder ejecutivo pueda creer que en esta Cámara se celebra la solemnidad de los Santos Inocentes durante los trescientos sesenta y cinco días del año. Lo más llamativo del asunto es que tampoco autoridad alguna de la Cámara se ha considerado obligada a recabar del Gobierno el cumplimiento. del tan seriamente debatido Reglamento"[66].

Me parecía obligado que, cuando el gobierno considere que existen razones excepcionales, que impidan en un caso determinado enviar copia de los· documentos haya de motivarlo y aduzca las razones precisas que lo justificarían en esa concreta situación, sometiéndose al dictamen del presidente del Congreso sobre el particular. De lo contrario, sería el propio gobierno, por su cuenta

---

63 ABC de Sevilla 9 de noviembre 1992.
64 ABC de 23 de octubre 1995.
65 ABC de Sevilla 10 de diciembre de 1992.
66 ABC 28 de diciembre 1992.

y riesgo, quien decidiría en cada caso cuál es la vía más oportuna de suministrar la información solicitada, para cumplir del modo más efectivo el primordial objetivo. Con ello, sin duda con la sana intención de liberar al presidente del Congreso de enojosas fatigas, estaría asumiendo, sus competencias[67].

---

67 ABC de Sevilla 23 de febrero 1993.

20. UN FINAL CON SUSPENSE

Terminó al fin la Expo. Visitada por viajeros procedentes del universo mundo y arropada con asidua reiteración por los sevillanos, hasta el punto de que dejó clara huella en su comportamiento cotidiano. Los sevillanos llevaban siglos visitando en las mañanas de su semana santa en los templos a las imágenes que, esa misma tarde, tendrían ocasión de admirar en la calle. Lo hacían en perfecto mogollón, sin más aleatoria peculiaridad que, al acercarse a la iglesia, distinguir entre la puerta de entrada y la de salida, si había más de una. Después de la Expo, habían asumido con gran naturalidad el civilizado uso de hacer cola, convertido ya hoy en nuevo rito semanasantero.

Por una u otras razones, más de uno habría descansado tras ese final. No pudieron hacerlo los celosos responsables del control parla mentario de su funcionamiento, ni tampoco quienes se habían considerado víctimas de semejante empeño. A ello ha contribuido, como en todo, la querencia hispana a no llevar a cabo el programa previsto.

Al cumplirse un año de su inauguración, realicé un balance ante los medios. "La Expo fue sin duda una fiesta inolvidable, que logró con su desmesura dejar claro que, para España, el 1992 no era un año como otro cualquiera. Como excusa para que el gobierno realizara inversiones que compensaran el retraso de Andalucía fue una ocasión mal aprovechada, por estrecha visión política e incapacidad de planteamiento a medio y largo plazo. El problema no consistió sólo en que todo el esfuerzo inversor se concentró en una franja andaluza, agudizando retrasos internos no menos sensibles que los que se pretendían remediar, sino que cuantiosas inversiones parecen haber sido hechas a seis meses vista, por lo que un año después resultan funcionalmente devaluadas. La Expo se había convertido en preocupante arquetipo de la heterodoxa gestión de fondos públicos que ha acabado caracterizando a la década socialista.

Solicité al gobierno, sin éxito, poder analizar los inventarios que la Sociedad Estatal estaba obligada a cerrar anualmente. Me movieron a ello informaciones recibidas sobre la heterodoxa gestión de Expo–Informa, una de las primeras iniciativas públicas del equipo Pellón. Este había asegurado que el programa importaría 200 millones y que saldría gratis por contar con patrocinadores. Al final ascendió al doble y todo parece indicar que cien millones se intentaron justificar con una partida de mobiliario, que sólo un año después desaparecía del mapa, presuntamente amortizada. Lógicamente, el análisis de los inventarios habría permitido sacarle la prueba del nueve a tan curioso ejercicio de prestidigitación contable, que desgraciadamente no fue el último".

Concluí: "España queda en deuda con todos los que dedicaron largas horas a luchar porque obtuviera un protagonismo internacional, comenzando por Su Majestad el Rey, que hizo suyo el proyecto desde su inicio; pasando por Olivencia, que dedicó años valiosos a intentar que fuera algo más que una fiesta y se administrara con rigor, y terminando con Pellón, cuyo empeño personal no pongo en duda pues, al fin y al cabo, fue designado para que la gestionara como la gestionó".

Se había anunciado que, terminada la muestra, se presentarían cuentas y asunto concluido. Al fin y al cabo, todo estaba en orden. Se contaba incluso con un archivo óptico, que se convertiría —muy a su pesar— en legendario. Debería albergar todos los documentos relacionados con la cuestión. En su momento, bastaría con ponerlo a disposición del Tribunal de Cuentas.

Dicha fiscalización provocó polémica en la Comisión Mixta Congreso–Senado de relaciones con el Tribunal de Cuentas, al rechazarse la enmienda del PP, para que se fiscalizaran todos los gastos del 92, mientras que el PSOE se enrocaba en limitarla a las sociedades estatales, omitiendo todos los gastos públicos ajenos a ellas. Provocó ello quedarse en solitario, al abstenerse el resto de la oposición[68].

---

68 ABC de Sevilla de 24 de noviembre 1992.

Si el funcionamiento del evento había tenido más bien aire trianero —no tanto por la obvia proximidad física como por la tendencia a la desmesura— la post–expo acabaría siendo sevillana a tope.

Hubo un amago de presentación de cuentas, que no sembró demasiada credibilidad. Como presunto "beneficio final" se hablaba de 2.437 millones de pesetas, sin considerar 7.749 de pérdidas por devaluación de la moneda; lo que ya apuntaba a un déficit de 5.357 millones. Pellón no quiso comentarlo ante los medios, sino que difundió un comunicado. Lo consideré como "un simple maquillaje", que pretendía confundir a la opinión pública. El apartado de gastos atribuía 13.335 millones a personal. Se afirmó por entonces que la sociedad estatal pasaba a la Dirección General de Patrimonio, lo que parecía indicar que Pellón se despedía de las cuentas y se quitaba el muerto de encima[69].

La función se complicaba y provocó que presentara una pregunta escrita[70] con el título: "Multiplicación de activos y súbita resurrección de la Sociedad estatal Expo–92". Daba cuenta de que había producido general sorpresa la publicación del Real Decreto 475/1993 de 2 de abril, por el que sólo dos días después de la fecha anunciada para consumar la liquidación de la Sociedad Estatal Expo–92 se la resucita, modificando los términos previstos en el reciente Real Decreto 135/1993 de 29 de enero[71].

Dos meses antes Pellón daba por hecho lo previsto, afirmando que "la liquidación de la Muestra va tan rápida como el AVE", mientras que yo me mostraba escéptico y entendía que, si Pellón se quitaba de en medio sin presentar las cuentas se convertiría en un "fu-

69 ABC de Sevilla de 30 de marzo 1993.

70 Fechada el 30 de junio de 1993.

71 Sobre el particular, la comparecencia del presidente de AGESA, Alejandro Martínez. Diario de Sesiones del Congreso de los Diputados, Comisiones. Presupuestos. V Legislatura. Núm. 41. Sesión núm. 4. Viernes 15 de octubre de 1993, págs. 1008 y 1011.

gitivo político"[72]. A todo esto, su metáfora me hizo recordar cómo —en un recorrido de prueba, cargado de consejeros y parlamentarios— el AVE realizó sin problemas el trayecto Madrid—Córdoba en una hora y cincuenta minutos[73]. ¡Qué tiempos aquellos!

Un nuevo decreto, el 4785/1993, de 2 de abril —viernes de dolores— estableció que la Expo continuaría realizando sus actividades y "gestionando tanto los bienes y derechos propios de la misma como los procedentes de las sociedades estatales creadas con motivo de los actos conmemorativos celebrados en España en 1992". Lo que acabaría repercutiendo sobre el futuro de la prevista Cartuja–93, que podría acabar desembocando en una especie de empresa de servicios más, sin la preponderancia pensada en su día. Ante esa posible deriva, ironicé que "a la Expo le han pasado la dolorosa de las otras sociedades estatales creadas con motivo del 92"[74].

Qué pueda haber ocurrido para que, en apenas dos meses, se produzca un cambio tan decisivo, exigía alguna respuesta por parte del Gobierno, inexistente en el texto de tan llamativa disposición.

La pregunta aludida sugería que esa "exigencia de clarificación se hace más urgente cuando continúan sin aclararse las razones justificativas de la sorprendente multiplicación de los 'activos' presuntamente generados por dicha Sociedad, que hace un año se valoraban en treinta mil millones de pesetas, mientras ahora se les atribuye una cuantía que ronda los ciento veinte mil".

No faltaron rumores de que una multinacional auditora se habría encargado de realizar un replanteamiento contable, destinado a convertir miles de millones de gastos corrientes inconfesados en presuntos activos.

De ahí el racimo de interrogantes al Gobierno que acompañan a la pregunta:

---

72 ABC de 24 de noviembre de 1992.

73 ABC de Sevilla 2 de abril 1992.

74 ABC de Sevilla de 8 de abril 1993

1. ¿Qué razones han llevado a resucitar la Sociedad Estatal Expo 92 dos días después de su anunciada liquidación? ¿Qué hechos se han producido entre los Reales Decretos 135 y 475/93 de 29 de enero y 2 de abril, capaces de justificar su dispar contenido?
2. ¿Qué razones justifican que la valoración de los presuntos activos de la Sociedad Estatal Expo 92 haya pasado en un año de treinta mil a ciento veinte mil millones de pesetas?
3. ¿Qué empresa auditora ha sido encargada de realizar trabajos conducentes a preparar la presentación del balance final de la explotación de la citada Sociedad estatal y cuál ha sido el cometido que se le habría encomendado?
4. ¿Se ha procedido en algún caso a convertir en presuntos 'activos' cantidades imputables a 'gastos corrientes' de la citada Sociedad Estatal?

No faltó, por mi parte, eco en artículo de opinión en la prensa…

21. LA FUNESTA MANÍA DE CONTAR[75]

La opinión fue siguiendo día a día, a medias entre el morbo y el escándalo, los sucesivos capítulos de poco edificantes culebrones. Más de uno llegan a figurar simultáneamente en la programación, sobre el atípico manejo de fondos públicos en beneficio privado, o sobre la atípica captación de fondos privados en presunto beneficio de entidades de relevancia pública.

Los sucesivos relatos suelen arrancar de una fase previa de sospecha, suscitada sin pruebas específicas pero suficiente para excitar el afán investigador de celosos titulares de poderes públicos (el llamado cuarto poder incluido). El gatuperio en cuestión acaba alcanzando categoría de caso, cuando la sospecha gaseosa precipitaba sólidamente en instrumento contable rebosante de inexplicable liquidez.

Quien esto firma no sabía aún si llegará algún día a incluirse en la ya recargada programación un caso expo, aunque deseaba firmemente que no existiera fundamento para hacerlo posible. Lo que sí estaba ya en condiciones de afirmar es que el gobierno, bien sea por temor o por torpeza, parecía incesantemente empeñado en consolidar su fase previa. No me había llegado, ningún sustancioso anónimo estimulador de sospechas, pero sí una buena ración de documentos, firmados y rubricados en nombre del gobierno, rebosantes de sellos oficiales, que contienen todo un conjunto de excusas no pedidas que van poco a poco confluyendo en acusación manifiesta. Un buen día se pretende negar a un prestigioso miembro del Poder Judicial, en ejercicio de su función de hacer justicia, determinados documentos del PSOE, pretextando que no está obligado a ello porque éste no es sociedad anónima; días después el ministro Virgilio Zapatero comunica a este modesto miembro del poder legislativo, en ejercicio de su función de control parlamentario, que no piensa enviarle determinados documentos de la Expo, porque ésta sí es sociedad anónima (estatal, por más señas...). O sea que,

[75] Publicado en DIARIO 16 el 6 de diciembre de 1992.

si algún poder ajeno al Ejecutivo quiere papeles, fronterizos entre la gestión del gobierno y la financiación del partido que lo sustenta, habrá de conseguir que se los filtren, como hacían con no poco esfuerzo y eventual acierto resoluciones del sufrido cuarto poder.

Un buen día el PSOE niega al mismo magistrado documentos, con el cuento de que los ha enviado al Tribunal de Cuentas. Por lo visto, su desprendimiento contable es tal que no se queda ni con copia. Pero, desde el mentado Tribunal, se acabará aclarando luego que no ha recibido original alguno. O el PSOE miente o en el Tribunal de Cuentas alguien ha montado de tapadillo un departamento de gestión de papeles concernientes a la frontera entre el gobierno y su partido de cuya actividad no llega a haber oficial constancia.

Días después el mismo ministro niega a este mismo diputado información contable de la Expo, con el cuento de que está siendo analizada por el Tribunal de Cuentas; en cualquier momento el citado Tribunal podría acabar aclarando que aún no había decidido siquiera quién analizará las cuentas de la Expo, ni ha establecido los criterios y metodología que deben presidir la elaboración de la oportuna documentación...

El poder ejecutivo y el partido que lo apoya parecen de acuerdo en boicotear esa funesta manía de contar que viene haciendo estragos entre los otros presuntos poderes. En el fondo se va imponiendo la idea de que, en el área socialista, la gestión política de los fondos públicos se está llevando a cabo con tal altruismo y escrúpulo que su supremo principio de control no podría ser sino el que rige en la gestión benéfica de los fondos privados: que —por utilizar su rancia terminología...— no se entere la derecha de que lo hace la izquierda.

La verdad es que, a juzgar por esta tozuda fase previa que el Gobierno venia alimentando, el caso Filesa podría quedar en tortas y pan pintado en comparación a un posible caso Expo. No tuve noticia de que el juez Barbero hubiera solicitado documentos al

PSOE y se los hayan entregado tapando previamente los guarismos dinerarios.

No tengo por qué poner en duda que la gestión de la Exposición Universal Sevilla–92 haya sido un prodigio de ortodoxia y pulcritud en el manejo de los nada escasos fondos públicos en ella invertidos. No sé, sin embargo, si temblar ante la posibilidad de que ello sea cierto. ¿De qué magnitud sería el caso que el gobierno estaría intentando dejar fuera de la atención parlamentaria, mientras invita —con pistas falsas y estimulantes ocultamientos— a no quitar ojo de la misteriosa contabilidad de la Expo?

22. UN PECULIAR IMPULSO DEMOCRÁTICO

Las presuntas multiplicaciones acaban más bien sugiriendo una reencarnación. Todo es cuestión de esperar a la pregunta siguiente[76], que tendrá esta vez por título; "Peculiar 'impulso democrático' en AGESA". Leamos...

"El intento del Gobierno por convencer a la opinión pública de que pretende dar paso a un 'impulso democrático', que vendría caracterizado por un especial escrúpulo —sin parangón en el último decenio— a la hora de cuidar el funcionamiento de las instituciones y organismos de control y equilibrio de poderes, parece tropezar con actuaciones de auténtico boicot por parte de miembros del propio Gobierno o titulares de cargos designados por él.

Si se admite que, no ya pretendidos 'impulsos democráticos', sino las más elementales técnicas de control del gasto, exigen garantizar que nadie acabe siendo juez y parte, a la vez que se procura —al tratarse de empresas e instituciones públicas— que tampoco lo parezca, no deja de resultar peculiar en extremo la sucesión de hechos que —a lo largo de tres pintorescas fases— se viene produciendo en la empresa AGESA.

En una primera fase, un tanto chapucera, cuando aún estaba en pleno desarrollo la Expo–92, aterriza en sus instalaciones un joven funcionario del Tribunal de Cuentas que, cumpliendo al parecer instrucciones de un consejero, sin especiales competencias conocidas sobre el particular, se dedica a 'preparar' los expedientes que en su día el propio Tribunal habría de controlar.

Del entusiasmo y escrúpulo con que tal celoso funcionario lleva a cabo su función quedaron dos expresivas muestras. Por una parte, una querella criminal planteada por un profesional que trabajaba en la auditoría interna de la Expo, acusando al pundonoroso enviado de 'maquillar' la documentación confeccionando 'expedientes B' no

---

[76] Fechada el 19 de septiembre de 1994.

coincidentes con los recogidos en el archivo óptico de la Expo; la juez acaba dando traslado del asunto al propio Tribunal de Cuentas, por si se aprecian irregularidades contables... Por otra parte, queda para la posteridad una frase (testificada por otros funcionarios en las diligencias judiciales) del imaginativo funcionario, que no descartaba que el citado archivo óptico pudiera algún día ser pasto de las llamas (se trataba quizá de un mero cálculo de probabilidades, dada la capacidad de combustión que la Expo experimentó en algunas fases de su desarrollo...). Tan curioso espectáculo termina con la vuelta del funcionario a su base de partida, a la vez que se procura correr un tupido velo sobre lo acaecido".

Tanto en esta como en otra ocasión insistí al presidente del Congreso, Félix Pons, en que toda la información solicitada debía llegarme por vía parlamentaria, "ante la posibilidad de que se deriven responsabilidades políticas". Cuestioné, por otra parte, la credibilidad de cualquier papel obtenido directamente en la isla de la Cartuja. "Qué garantías tengo de que esos papeles estén completos si Jacinto Pellón —presidente de la Expo— se ha atrevido a enviar al Juzgado documentos mutilados del departamento de Auditoría Interna de la Expo"[77].

"Tras este tormentoso exordio, se da paso a la segunda fase: pese a haberse anunciado que la sociedad Expo–92 se liquidaría al terminar la muestra, se decide —por razones inexplicadas— que se convierta en AGESA. A la hora de buscar un ejecutivo maduro y experto que la presida el Gobierno —debido sin duda a la escasa oferta existente de personas de tan exigentes condiciones— no encuentra otra opción que nombrar para tal cargo al recientemente prestigiado funcionario del Tribunal de Cuentas. Este encuentra previsiblemente así ocasión de continuar las actuaciones que tan celosamente comenzó, cuando ya se anuncia la entrada en juego del Tribunal del que ha venido siendo funcionario, para controlar la empresa de la que comienza a ser presidente. Incompatibilidades formales aparte,

---

77 ABC de Sevilla de 6 de abril 1993.

la situación no deja contribuir a dar impulso —y no precisamente democrático— a obvias conjeturas sobre el pintoresco control en marcha.

Por si fuera poco, el funcionario–presidente da paso a una tercera fase: acuciado de nuevo por la penuria de ejecutivos que sufre nuestro país, no encuentra personal preparado para colaborar en su empresa sino entre sus propios colegas de función en el mentado Tribunal, adscritos casi todos ellos a la Presidencia de la institución. Todo ello lleva a pensar que AGESA ha acabado convirtiéndose en una empresa cuyo objetivo social consistiría en preparar unas cuentas que deben someterse a público e imparcial control.

Si a todo lo señalado añadimos que AGESA deberá a su vez, en su día, rendir cuentas al Tribunal citado, siendo previsible que para entonces todo el comando de funcionarios salido de su seno habrán vuelto a reintegrarse en lo que había venido siendo su actividad profesional, no resulta todo ello precisamente un monumento a las apariencias de imparcialidad que el control de las empresas públicas —sin particulares impulsos— parece exigir.

Todo ello provoca el planteamiento de algunos interrogantes al Gobierno:

1. ¿De quién, con qué cobertura competencial y mediante qué acuerdo expreso concreto, emanó la decisión de que el citado funcionario se desplazara a la Expo para preparar la contabilidad que debería someterse a control del Tribunal de Cuentas y con qué instrucciones?
2. ¿Es práctica habitual del Tribunal de Cuentas proceder a enviar similares embajadores a empresas sometidas a su control? ¿En qué otros casos lo ha hecho y por qué razones?
3. ¿Considera el Gobierno que puede inscribirse dentro de sus medidas de 'impulso democrático' el nombramiento como presidente de AGESA de un funcionario envuelto en situaciones confusas objeto de pública polémica y que, por de-

más, está integrado en el organigrama del Tribunal que en su día habrá de fiscalizar su gestión?

4. ¿Considera el Gobierno como muestra de "impulso democrático" que el funcionario hoy presidente de AGESA se haya rodeado de otros 4 funcionarios del Tribunal de Cuentas, que —como él mismo— se reintegrarán previsiblemente a dicha institución, de la que venían dependiendo, cuando su propia gestión haya de ser controlada? ¿Cuántos han sido los funcionarios del citado Tribunal contratados para AGESA? ¿Cuántos de ellos venían realizando funciones adscritos a la Presidencia de la citada institución? ¿Qué razones han obligado a adoptar decisiones tan contrarias a la apariencia de distanciamiento e imparcialidad que todo control público exige?
5. ¿Piensa el Gobierno, para mantener la mínima credibilidad de su pretendida voluntad de 'impulso democrático', proceder a sustituir al presidente de AGESA, dando instrucciones a su sucesor para que evite todo tipo de concomitancias funcionales entre dicha empresa y el Tribunal de Cuentas?".

23. COMPARECE EL PRESIDENTE DE AGESA

La comparecencia ante la Comisión de Presupuestos del presidente de AGESA[78], que había solicitado el grupo parlamentario popular, dio ocasión en octubre del 94 a seguir la pista sobre los derroteros de la empresa. Tuve oportunidad de hablar claro. "A estas alturas, casi todos los expertos que se preocupan de ojear estas cuentas dan por hecho que esta sociedad parece nacida para disimular las pérdidas de la Expo y que no tienen otro objeto que diluirlas en aportaciones anuales del Estado que intenten maquillar la catástrofe".

AGESA, "constituida para realizar unos activos que ascenderían presuntamente, en el caso de la Expo solo, a 128.000 millones de pesetas, en tres años ha registrado pérdidas por valor de 57.735 millones de pesetas y ha exigido al Estado un desembolso de 78.000 millones de pesetas, con lo cual ya prácticamente se ha desbordado la cifra que se aspiraba defender".

"Políticamente no creo que el sistema sea beneficioso, porque a la hora de la verdad lo que se va a conseguir es que año tras año se recuerde aquí, en esta Comisión, para qué existe AGESA y celebremos un curioso funeral presupuestario por la Expo".

"Se prevé realizar sólo 25 millones de pesetas a lo largo de 1995. Y, para lograr tan escueto resultado, acompañado de una previsión de 6.614 millones de pérdidas en 1995, la sociedad deberá sufragar unos costes de personal de 457 millones".

El presidente de AGESA, Alejandro Martínez, se negó por otra parte a aclarar en público si —como ya ocurrió en la Expo— parte del personal disfruta de contratos blindados, acogiéndose a la posibilidad de contestar por escrito. Deduje "que sí hay contratos

---

[78] Diario de Sesiones del Congreso de los Diputados, Comisiones. Presupuestos. V Legislatura. Núm. 317. Sesión núm. 19. Martes 18 de octubre de 1994, págs. 9562–9564.

blindados, porque ha dicho que por escrito me va a contestar sobre el particular. Si no los hay, me puede contestar verbalmente, ¿no? Hay contratos blindados. Muy bien. Algo tenemos claro".

Llegó a afirmar durante su intervención que, en 1995 por vez primera, el presupuesto de explotación resultará positivo. Al señalarle que se prevén más de seis mil seiscientos millones de pérdidas, lo tradujo en que con ello se perdería menos que en años anteriores.

Le hice observar que reconocía implícitamente la artificiosidad de los supuestos activos de Expo. "Dice usted que sus activos son tangibles. ¡Hombre, por supuesto, tan tangibles como el unicornio! ¡Será cuestión de que usted llegue a encontrarlo, claro! Tangibles ¿qué significa? ¿Son vendibles? Porque usted dice: no he perdido dinero, porque no he realizado inmuebles; lo cual equivale a decir: como realice en inmuebles pierdo dinero". Pese a haberlos calificado de tangibles, dejaba claro que no los estimaba vendibles al precio atribuido.

El presidente de AGESA reconoció que del crédito multidivisa de 75.000 millones, solicitado por la sociedad a poco de su nacimiento, quedaban aún por amortizar 63.800. Preguntado por los beneficios obtenidos de la explotación comercial del archivo de imágenes de la Expo realizada por el diario El Correo de Andalucía, aseguró que se trataba de una promoción que no había costado ningún dinero a su propia empresa, admitiendo así el carácter gratuito de la cesión realizada. La recordé "el interés que ponía el señor Pellón en perseguir la piratería de todo lo que era imagen de la Expo. ¿Va a pasar a una nueva política que consiste en regalar la imagen de la Expo a todo el que la pida o solamente a los amigos?".

Le sugerí: "se comporta como una especie de diosecillo remunerador que premia a los buenos y castiga a los malos. Usted, a los buenos, que son unos medios de comunicación, que tienen tiradas poco significativas y que empresarialmente están vinculados al partido del gobierno, les regala el archivo", pero a los que "se permiten publicar críticas políticas a su gestión, incluso anterior a ser presidente de AGESA; a ésos los lleva usted a los tribunales".

No faltó quien resaltara el incipiente conocimiento de la realidad sevillana por parte del compareciente. Se resaltó que "Alejandro Martínez, cuya familia y/o él mismo es granadina de origen, preside una empresa radicada en Sevilla", mientras que yo era "natural de Sevilla (extremo que probablemente desconocía el presidente de AGESA)", aunque acabé "siendo catedrático en Granada y diputado del PP por Granada. A la hora de responderle, el *sevillano* Martínez quiso hacerle ver al *granadino* Ollero que no podría comprender la importancia que para los sevillanos tenían las actuaciones de la Expo"; incluyendo entre ellas nada menos que la *construcción del puente de Triana* (¡), que "para los sevillanos es importante", como el de la Barqueta; lo "construyó el Estado y se van a dar a la ciudad de Sevilla para uso y disfrute de los sevillanos"[79].

A todo esto, el control presupuestario detectaba una desviación en la partida salarial de AGESA, fruto quizá de que algunos de sus integrantes residían en Madrid y generaban dietas de transporte y alojamiento. Esto alimentó cierto morbo sobre el particular y —tras muchos tiras y aflojas— los sueldos salieron a relucir en la prensa, así como su notable diversidad. Los jefes de departamento cobraban medio millón de pesetas; los gestores: dos millones y medio; los —técnicos: un millón ochocientas mil pesetas; los administrativos: un millón doscientas mil pesetas; subalternos: doscientas mil pesetas[80].

---

79 ABC de Sevilla de 31 de octubre 1994.

80 ABC de Sevilla de 27 de enro 1995

24. EL ARCHIVO ÓPTICO RECLAMA PROTAGONISMO

En paralelo, el ya popularizado Archivo Óptico de la Expo mantuvo notables dosis de protagonismo, incluso con profundas dudas sobre su situación, dando paso a otra larga historia, reflejada en otra pregunta escrita[81]:

"Todo parece indicar que no toda la documentación relacionada con expedientes administrativos de contratación relacionada con la Expo se halla incluida en el citado Archivo Óptico. Por lo visto, a partir de una fecha no determinada y pretextando que el proyecto inicial era demasiado ambicioso y exigía demasiado personal, alguien decidió que dejaran de incluirse algunos documentos.

Resulta inquietante pensar que entre los datos o documentos que dejaran de archivarse figuraran las subcontratas; más aún si se tiene en cuenta que, mientras fue Comisario D. Manuel Olivencia, la contratación se regía por un *Manual*, que exigía el control de cualquier subcontrata por parte de los responsables de la Expo. Resultaría llamativo que más tarde dejara de hacerse así...

Más preocupante aún es la noticia, según la cual el citado archivo óptico de la Expo, aunque no haya sido pasto de las llamas, se halla tan poco operativo como si ello realmente hubiera ocurrido. A ello contribuyen dos hechos que, de confirmarse, delatarían curiosos conceptos sobre la rentabilidad del gasto público.

El primero sugiere que la reparación de la avería del citado equipo informático —valorado en su día en mil millones de pesetas— se elevaría a dos millones de pesetas. Por otra parte, el contrato de mantenimiento para que el archivo fuera operativo podría llegar a los siete millones anuales. O sea, que el desembolso de nueve millones de pesetas, por parte de una empresa como AGESA, que gastará en mero funcionamiento mil millones en 1995 —la mitad

---

81 Fechada el 28 de noviembre de 1994.

de ellos en retribuciones de personal— estaría impidiendo la operatividad del principal testigo de la originaria documentación de Expo, sometida a pública y legítima curiosidad, aparte de a control del Tribunal de Cuentas".

Todo ello resultaría tanto más sorprendente cuando la misma AGESA invirtió sumas significativas en una campaña publicitaria de oferta de servicios que incluía el uso del citado Archivo Óptico[82], ahora tan oportunamente fuera de juego, lo que implicaría una evidente publicidad engañosa con fondos públicos.

De ahí la ristra de incógnitas subsiguiente:

1. ¿Cuál era el plan inicial de archivo informatizado de la documentación y expedientes administrativos de la Expo? ¿Quién y en qué fecha decidió que se modificara restrictivamente? ¿Qué tipo de documentos dejaron, como consecuencia, de archivarse?
2. ¿Debía Expo autorizar todas las subcontratas relacionadas con sus actividades? ¿Se hallan incluidas en el Archivo Óptico todas estas subcontratas? En caso contrario, ¿desde qué fecha y por decisión de quién dejo de tenerse constancia de ellas y de procederse a su archivo?
3. ¿Ha sufrido el citado Archivo Óptico averías o déficit de mantenimiento que lo sitúen en la práctica fuera de servicio? ¿En qué fechas y durante cuánto tiempo? ¿Se encuentra en tal situación en la actualidad?
4. Caso de encontrarse averiado o fuera de servicio, ¿cuánto importaría su reparación o puesta a punto y qué impide que

---

82 Como presidente de AGESA, D. Alejandro Martínez procuró que se hablara lo menos posible del Archivo. De ahí que lo expresara en una de sus comparecencias parlamentarias: "Esa obsesión de S.S. con elementos que proceden de esta prehistoria de la sociedad, en este caso es prehistoria evidentemente, incluso determinados 'affaires' que S.S. ha citado de una manera incidental" —Diario de Sesiones del Congreso de los Diputados, Comisiones. Presupuestos. V Legislatura. Núm. 317. Sesión núm. 19. Martes 19 de octubre de 1994, pág. 9567.

se lleve a cabo? ¿Cuánto importan los gastos de mantenimiento y qué impide que se lleven a efecto?

5. ¿Qué gastó AGESA en la campaña publicitaria de oferta de servicios, que incluía el uso de su Archivo Óptico?
6. ¿Se ha dispuesto de algunos de los elementos del citado Archivo y sus accesorios trasladándolos a otras instituciones públicas? ¿A cuál, cuándo, por decisión de quién y con qué fines?
7. De confirmarse que la situación del archivo óptico ha hecho imposible que el Tribunal de Cuentas tenga acceso al mismo, ¿considera el Gobierno que una persona que falta a la verdad reiteradamente, durante una comparecencia en razón de su cargo ante esta Cámara, reúne las condiciones mínimas para que pueda ocupar responsabilidades en AGESA o en cualquier otra empresa pública?".

25. EL MINISTRO DEFIENDE A LOS SUYOS

El cúmulo de aventuras de D. Alejandro Martínez, al que implícitamente nos venimos refiriendo, estaba aún por colmar. Al parecer mis referencias —siendo, por entonces, diputado— y las de un medio de comunicación no fueron de su agrado. Ni corto ni perezoso decidió pleitear y de camino —consciente o inconscientemente— poner de relieve el notable respaldo político de sus pretensiones. Ello abre otro título de pregunta escrita[83], poco dado a pasar inadvertido. "Suministro por el ministro de la Presidencia [a la sazón Pérez Rubalcaba] a un particular de documentación destinada a interponer demanda contra un medio de comunicación y un miembro de esta Cámara, tras criticar al Gobierno".

En efecto, convencido de que ha sido "mancillado su honor", acompañaba —quizá por descuido— a su demanda, en la que solicitaba una indemnización de cinco millones de pesetas, un documento que le había sido enviado desde el complejo de La Moncloa por el propio Ministro de la Presidencia, según consta en el membrete del fax por el que se le envió al litigante.

"Por si fuera poco, el intento de este Diputado de aclarar la situación ante el Pleno del Congreso, en su última sesión de 14 de diciembre, lejos de contribuir a esclarecer los hechos, añade nuevos motivos de preocupación. El señor ministro, tras mostrarse sorprendido por los hechos denunciados, no afirmó que abriría una investigación interna, destinada a establecer lo realmente sucedido y a adoptar las medidas adecuadas para evacuar las responsabilidades políticas derivadas de tan burda colisión entre el Ejecutivo y el parlamento. Por el contrario, se amparó en el reglamento para dejar sin respuesta cuestiones para él bien conocidas, y animó al diputado a utilizar nuevas iniciativas parlamentarias, como la presente, que le impidieran salirse por la tangente".

---

83 Fechada el 21 de diciembre de 1994,

Aceptada la invitación, sirvió de oportunidad para plantear cómo, ante "estos hechos, surge la duda de si existe alguna relación funcional entre la empresa AGESA y el Ministerio de la Presidencia, capaz de justificar que el Ministro en persona —en la persona de su fax más íntimo— le suministrara documentación que el recipiendario haya podido utilizar, abusivamente, con fines particulares". Según consta en el Diario de Sesiones, el portavoz popular aventuró una posibilidad: el Ministro "para aliviar el déficit público, ha creado un servicio por el cual brinda a los ciudadanos la documentación que necesiten para interponer demandas en defensa de su honor contra otro particular"; lo que descartaría una indeseable alternativa: que lo oferte sólo a quienes la vayan a utilizar "contra aquellos medios de comunicación y aquellos diputados que sean incómodos a su Gobierno". El señor ministro, en el turno subsiguiente, ni confirmó ni negó tal hipótesis[84].

Le ilustré que "Alejandro Martínez es uno de los señores Martínez que hay en este país y que, lógicamente, a su demanda aporta unos determinados documentos que considera esenciales. Al parecer, uno de ellos no lo tenía disponible, pero —curiosamente— ese documento le llega por fax, con fecha de unos días anteriores a la interposición de la demanda, y en el fax figura, como es lógico, quien lo ha enviado. Y ¿sabe usted quién se lo ha enviado, señor ministro? Se lo ha enviado el ministro de la Presidencia. Así figura en la primera página de ese documento, así figura en la segunda página y en cada una de las demás"[85].

Con posterioridad, el ministro de la Presidencia admitió, respondiendo a una de mis preguntas escritas, que desde su propio fax se enviaron al presidente de AGESA documentos que acabarían siendo utilizados por éste, días después, como fundamento de

---

84 Congreso de los Diputados, Pleno y Diputación Permanente. V Legislatura. Núm. 114. Sesión Plenaria. Núm. 113. Miércoles 14 de diciembre de 1994, pág. 6096.

85 ABC de Sevilla de 15 de diciembre de 1994.

una demanda entablada a título particular contra el diario ABC y contra el diputado Andrés Ollero. El gobierno consideró tal envío como el "cumplimiento de una obligación", al haberlo requerido "el presidente de una empresa pública", pero señaló —convirtiendo el fax en fotocopia— que "del uso posterior que de tal fotocopia se haga en derecho, ni corresponde, ni puede corresponder al ministerio, ni a los funcionarios de su departamento ninguna responsabilidad".

Aunque, cuando critiqué que se hubiera nombrado presidente de AGESA a una persona que se había visto envuelta en denuncias sobre presunta manipulación de la contabilidad de la Expo, ya que —sin perjuicio del resultado judicial del caso— tal nombramiento me parecía, desde un punto de vista político, absolutamente rechazable, el gobierno consideró que "no se encuentra razón alguna para tomar medida concreta especial", el citado Alejandro Martínez acabó siendo destituido de su cargo.

26. EL ARCHIVO ÓPTICO VUELVE A PEDIR PISTA

El culebrón continuará, ceñido siempre a los arriesgados avatares del Archivo Óptico y de su problemática operatividad. Resultaba obvia la existencia de documentos a los que el órgano de control de los gastos de la Expo no podría tener acceso. Por otra parte, la documentación en soporte convencional no gozaba de la mínima fiabilidad exigible, ya que en su día se denunció una operación de maquillaje y que —cuando se apuntó que de ello podría dar fe el citado Archivo— el luego presidente de AGESA pronosticó —según afirmó un denunciante— que podría quedar en algún momento fuera de juego.

No dejaba pues de resultar misteriosa la profetizada avería sufrida por el Archivo, precisamente cuando el Tribunal de Cuentas estaba procediendo a fiscalizar la gestión de la Expo. Tanto más cuanto el gobierno me había informado de que, hasta diciembre de 1992, sólo "hubo varias averías de escasa importancia, que se resolvían de inmediato", gracias a la existencia de un contrato con la empresa suministradora, que "incluía el mantenimiento y la asistencia técnica". Luego, "en el segundo semestre de 1993, se produjo una avería que dejó el sistema fuera de servicios unos dos meses, hasta que fue reparado. Al poco tiempo sufrió una nueva avería, permaneciendo desde entonces inoperativo".

No deja de ser curioso que, mientras mediado el 93 pudo repararse una avería, en noviembre de dicho año el Tribunal de Cuentas lo encuentre de nuevo averiado y el gobierno pase a afirmar que "no es posible determinar cuál sería el coste de la reparación, ya que dependería de la profundización en el estudio del tipo de avería, de las piezas de recambio necesarias y del tiempo exacto que precisara el servicio técnico" para llevarla a cabo, lo cual me parecía indicar que el gobierno ha perdido súbitamente el interés que mostró meses antes por reparar el Archivo, quizá por considerar que mientras esté allí el Tribunal de Cuentas es preferible ampararse en el lado oculto de la luna.

La situación rondó el despropósito, cuando el gobierno no tuvo empacho en afirmarme que "si el Archivo Óptico está averiado, ello puede haberse debido precisamente a su escasa utilización, que habría originado un desequilibrio de los sensores y un desajuste en los *drivers* (unidades de lectura y grabación)". Me volvió igualmente a mentir afirmando, una vez más, que "nunca se ha solicitado por el Tribunal de Cuentas acceder a la información contenida en el Archivo Óptico"[86].

Al final se me informa de que "AGESA no tiene intención, en estos momentos de efectuar desembolso económico para la reparación del archivo óptico". Precisamente en un momento en que la sociedad heredera de la Expo cuesta a los ciudadanos mil millones de pesetas, dedicados en su mayor parte a gastos de personal, y nadie había desmentido que la reparación del Archivo no costaría más de dos millones y el contrato de mantenimiento no importaba más de siete. Curiosamente, AGESA sí se había gastado más de dos millones de pesetas en folletos y anuncios de prensa ofertando, entre otros servicios, el Archivo que ahora no tenía interés en reparar.

El Archivo Óptico, concebido como pieza decisiva de registro y control cuando la gestión de la Expo estaba en manos neutrales, parecía haberse convertido en incómodo enemigo más tarde. El gobierno me reconocía que, si bien inicialmente se informatizó "toda la documentación de entrada y salida de todos los centros directivos de la Sociedad Estatal", así como "los expedientes administrativos del departamento de Contratación" y "cuanta correspondencia se generaba entre el órgano de contratación y las empresas contratistas", con posterioridad hubo cambios de criterio. Especialmente significativo resultaba, el producido en noviembre de 1991 —coincidiendo con la destitución del Comisario Olivencia por el gobierno—, aunque ahora se lo presentara como "una nueva racionalización en la utilización del archivo informático".

---

86 Reflejado en ABC de Sevilla de 7 de noviembre 1995.

A partir de este momento sólo se archivan informáticamente "los expedientes de contratación superiores a 5 millones de pesetas, con excepciones según relevancia, referidas a espectáculos, creaciones artísticas en espacios públicos, asesoramientos, mantenimiento y cursos" y no de modo completo, como hasta entonces, sino limitado a "los documentos esenciales que los integran".

Así mismo, aunque el gobierno reconoce que en el "pliego de bases aplicable a la contratación de obras" se especificaban "las obligaciones que el contratista tenía para con Expo en el caso de que pretendiera concertar con terceros la realización de determinadas unidades de obra", me afirmaba que "nunca se archivaron informáticamente las posibles subcontratas", que darían lugar a casos no poco polémicos.

El cese del señor Martínez como presidente de AGESA y la cuestionable fiabilidad final de las cuentas de la Expo, en uno u otro formato, se plasman pues en nuevos interrogantes, fechados ya el 3 de abril de 1995:

1. ¿Cuál fue el importe de la reparación del Archivo Óptico de la Expo efectuada en el segundo semestre de 1993? ¿No implicaba tal reparación garantías de continuidad en el funcionamiento, que cubrieran nuevas averías que pudieran surgir "al poco tiempo"?
2. ¿Qué razones justificaron que se efectuara la reparación aludida? ¿Qué razones explican que "al poco tiempo" no resultara justificada reparación similar?
3. Confirmada doblemente, por la actitud del Sr. Martínez, la posibilidad de que la documentación recogida en el Archivo no coincida con la disponible en soporte convencional, ¿no considera que la garantía de la pública confianza a la tarea de fiscalización en marcha justificaría sobradamente realizar un estudio para evaluar el posible coste de reparación similar a la realizada poco antes? ¿Qué importe máximo consideraría razonable invertir en la reparación del Archivo para hacer posible dicha garantía?

4. ¿Qué consecuencias se derivan para el futuro manejo del Archivo Óptico de la venta de elementos y accesorios llevada a cabo? ¿Está el Gobierno en condiciones de afirmar que la venta de elementos del Archivo Óptico no impedirá ni condicionará en absoluto su manejo por el Tribunal de Cuentas durante la fiscalización actualmente en marcha?
5. Dado que el Gobierno considera que afirmar por dos veces que ha sido posible acceder a un Archivo 'inoperativo' no es faltar a la verdad, ¿qué otras razones han justificado la destitución del señor Martínez como presidente de AGESA? ¿Merece tal comportamiento la confianza del Gobierno, rubricada por su actual presencia en otra empresa pública en cargo de libre designación?

Precisamente en la misma fecha en que realizo esta pregunta, la prensa[87] se hace eco de que "El PSOE admite que en las cuentas de la Expo habrá irregularidades menores". El motivo es que "el Parlamento Andaluz investigará la actuación de la Junta en la Expo 92, tras confirmarse el apoyo del PP a IU para crear una comisión. El portavoz del PSOE, José Caballos, aún desconoce cuál será su posición ante una comisión que cree injustificada. Caballos admite que "se hallarán irregularidades, pero de escasa relevancia, y que estarán motivadas por el ritmo de las obras. Si se hubieran cumplido todos lo requisitos habríamos terminado en el 2004".

"Según el diputado del PP Andrés Ollero —continuaba la noticia— la auditoría del tribunal estatal será limitada ante lo que considera sospechosa inutilización del archivo de la Expo. Ollero recordó que Alejandro Martínez, antiguo responsable económico de la sociedad estatal y de su heredera, AGESA, dijo que el archivo podía quemarse. Ni Alejandro Martínez ni el actual responsable de AGESA, Bernardo Baquero, han querido responder a la situación

---

87 EL PAÍS 3 de abril 1995.

del archivo de la muestra, donde se guardaba la documentación sobre contrataciones".

"Caballos cree que la intención de la oposición es remover el pasado y empañar algo positivo para Andalucía. Al margen de las anomalías que pueda haber detectado la Cámara de Cuentas, y que Caballos sostiene que serán menores, el PSOE cree que el motivo real para llevar ahora al Parlamento las cuentas de la muestra es que no perdonan, dijo, que la Expo fuera un éxito para nosotros".

27. EL TRIBUNAL LO CONSIDERA DESMANTELADO

Por lo demás, pese a que el ya citado Martínez afirmó por dos veces en el Congreso de los Diputados que el Tribunal de Cuentas había tenido acceso al Archivo Óptico, según me había acabado informando el gobierno en marzo del 95, en realidad no solo llevaba un año inutilizado, sino que —ya en diciembre del 93— por decisión del equipo directivo de la sociedad, se suscribió un contrato con la Dirección General de Patrimonio del Estado, por el que se vendían por parte de AGESA a dicho organismo diversos elementos del mismo.

Tal operación de desmantelamiento, ocultada a la Cámara por un cargo de confianza del Gobierno, se había llevado a cabo días después de que el Tribunal de Cuentas comenzara a fiscalizar la gestión de la Expo, mientras en el Archivo permanecían inaccesibles documentos de los que, según se denunció en su día, no había copia. No deja de ser significativo que el gobierno afirmara que se adoptó tal decisión "teniendo en cuenta las necesidades de consultas existentes", precisamente entonces.

Como consecuencia, tanto el Tribunal Supremo como el Tribunal Económico Administrativo Central acabaron disponiendo de piezas de dicho Archivo pero, el dinero abonado para conseguirlos no había llegado siquiera a los dos millones de pesetas, que se estimaban necesarios para permitir el acceso a documentos por el momento reservados, sin cuya consulta la fiscalización del Tribunal de Cuentas se veía gravemente limitada, al no poder constatar el alcance efectivo de la denunciada confección de expedientes *ad hoc* paralelos y diversos de los originales.

Mostré públicamente mi inquietud por las consecuencias que para el futuro manejo del Archivo Óptico podían derivarse de la venta de elementos y accesorios llevada a cabo, y dudé de que estuviera el gobierno en condiciones de afirmar que no condicionaría en absoluto su posible uso por el Tribunal de Cuentas durante la fiscalización actualmente en marcha. Ante el anuncio de la nueva presidencia de AGESA de que se reservaba acciones legales al respecto, afirmé que respetaba sus afanes de litigar, pero su presidente podría aprovechar para dejar claro si los pleitos entablados por su antecesor contra diputados y medios de comunicación —a título particular, pero compartiendo casualmente asesor jurídico con la empresa— se acabarían pagando con fondos públicos.

A los pocos días, una intervención judicial supone un salto cualitativo en el asunto. Hasta ahora era sólo el grupo parlamentario popular el que, cumpliendo sus tareas de control, denunciaba aspectos oscuros y daba por supuesto que en política la resistencia a presentar algo con transparencia es ya un síntoma de que nos hallamos ante un asunto poco presentable. Ahora es el propio Tribunal de Cuentas el que —a requerimiento de un Juzgado— afirma que desde un primer momento consideró de "gran utilidad" acceder al citado Archivo, para cumplir su tarea fiscalizadora y de "obtención de datos". Que el gobierno se negara a repararlo sería decir llanamente que se negaba a poner a disposición del Tribunal medios que éste considera tan necesarios como para haberse interesado hasta dos veces por su ignoto contenido. Eso desmentía las afirmaciones de AGESA negando tal interés. Que el gobierno ni siquiera supiera cuánto podía costar repararlo demostraba que había descartado decididamente hacerlo.

El Tribunal de Cuentas aportaba, a la vez, la fecha exacta —14 de octubre de 1994— en que AGESA le comunica que está averiado. Cuatro días después su entonces presidente, Alejandro Martínez, no solo oculta la avería, e incluso la venta de parte del equipo informático, sino que afirma falsamente por dos veces, en la Comisión de Presupuestos del Congreso, que el Tribunal de Cuentas ha tenido acceso al citado Archivo. Que quien así se comportaba ocupara luego, se supone que en premio a los servicios prestados, una dirección general en Paradores del Estado demostraba la peculiar concepción de la empresa pública del gobierno.

Resultaba de extrema gravedad que el Tribunal de Cuentas, al realizar la fiscalización de la Expo, se viera obligado a afirmar que no ha podido comprobar ni la información que hubiera podido ser introducida en dicho Archivo, ni la información que pueda existir en la actualidad, lo que equivale a confesar su imposibilidad de excluir si se observan en la actualidad diferencias entre una y otra, así como respecto a los papeles que sí se le han ofrecido[88].

La traca final se produce cuando se requiere la comparecencia del ministro Pérez Rubalcaba y éste se quita de en medio y envía a la Cámara al ministro Solbes, que —en un alarde de sinceridad— comienza su intervención aludiendo a sus "limitados conocimientos sobre el asunto" y se dedica a trasladar lo que le han contado en AGESA. Afirma que el coste de reparación del archivo "no está definido", aunque luego niega haberlo dicho[89].

Visto lo visto, planteé que el grupo parlamentario popular presentara en el Congreso una proposición no de ley, instando al gobierno a reparar el ya legendario Archivo. Así ocurrió el 13 de junio del 95. Habría que esperar a diciembre del 96 para que se aprobara por unanimidad, incluido el apoyo del grupo socialista[90]. Para entonces AGESA se había, por fin, visto obligada a abordar la reparación del Archivo[91].

El Tribunal de Cuentas había tenido noticia de que, ya el 20 de noviembre de 1992, el portavoz del grupo parlamentario popular se había dirigido a la Mesa de la Comisión Mixta para las Relaciones con el Tribunal de Cuentas solicitando que dicho Tribunal, "en el ámbito de sus competencias y con arreglos a los criterios y metodología que considere más adecuados para el control de la

---

88 ABC de Sevilla de 21 de abril 1995.

89 Diario de Sesiones del Congreso de los Diputados. Comisiones. Régimen de las Administraciones Publicas. Año 1995. V Legislatura. Núm. 517. Sesión núm. 23. Miércoles, 7 de junio de 1995, págs 15842 y 15846. En respuesta del Gobierno a posterior pregunta escrita (012240) el ministro reconoce "no es posible determinar el coste de su puesta en funcionamiento" —Congreso. Serie D. Núm. 294, 14 de noviembre de 1995, pág. 73.

90 ABC de Sevilla de 19 de diciembre 1996.

91 ABC de Sevilla de 22 de octubre 1996.

gestión del conjunto de los fondos públicos destinados a dichas actividades, proceda a efectuar una fiscalización de la actividad económico financiera que, con motivo de los programas de la Comisión del V Centenario, la Exposición Universal de Sevilla 1992, los Juegos Olímpicos de Barcelona 1992 y Madrid Capital Europea de la Cultura 1992, han llevado a cabo las diversas Administraciones Públicas, Sociedades Estatales y Consorcios relacionados con dichos acontecimientos".

A mi juicio, como polemicé con Pellón, el problema no era tanto lo que había dentro del Archivo, sino lo que se quedó fuera. Por lo demás, el equipo fiscalizador del Tribunal de Cuentas acabaría apreciando en Expo/AGESA, presidida entonces por Alejandro Martínez —paradójicamente funcionario egresado del propio Tribunal— un intento de ocultar. la verdadera situación del Archivo Óptico. Esta apreciación la basó el Tribunal en las sucesivas dilaciones para suministrarle información. Así, entre la primera petición concreta para conocer los datos sobre el Archivo —7 de abril de 1994— y la aclaración definitiva de su situación —7 de julio de 1995— transcurrieron quince meses[92].

Hubo propina. El ex–Presidente de AGESA, Alejandro Martínez, se vio obligada a declarar, en el Juzgado nº 4 de Sevilla, que el Archivo Óptico de la Expo estaba "hasta su salida de la sociedad completo y custodiado en el archivo de AGESA. Aunque parte de la maquinaria que se utilizó para la lectura del Archivo fue vendida a la Dirección General de Patrimonio del Estado", la restante es suficiente para acceder a él; "si bien necesitaría para su puesta en funcionamiento unos gastos de reparación".

Por el contrario, vio desestimada la demanda que había presentado, contra mí y contra el diario ABC de Sevilla, por considerar que mis manifestaciones, realizadas durante la campaña de las últimas elecciones andaluzas, aludiendo a la manipulación de docu-

92 ABC de Sevilla de 3 de diciembre 1997.

mentos de la Expo que habrían de ser fiscalizados por el Tribunal de Cuentas, suponían la imputación de actividades delictivas. El propio Martínez admitió, sin embargo, en el mismo trámite de confesión que yo había criticado a la vez "al PSOE, a los líderes socialistas e incluso a Felipe González".

En su sentencia, el Magistrado D. Antonio Salinas, me consideraba "muy bien informado", calificaba de "veraz" la información publicada y entendía que no había utilizado mis expresiones "en sentido contable", sino como "una crítica o debate político en periodo electoral", y que todas ellas no eran sino "reproducción literal de un acto parlamentario", por haberlas expresado en idénticos términos ante el mismo Alejandro Martínez en el Congreso de Los Diputados.

28. LOS PAPELES DE TELEMUNDI DESAPARECIERON

El mismo grupo parlamentario popular había presentado el 8 de junio de 1995 una proposición no de ley para que el Congreso de los Diputados instara al Gobierno a que: "En el más breve plazo dicte las instrucciones oportunas para que se proceda a reparar el Archivo Óptico de la Expo92, para que, puesto a disposición del Tribunal de Cuentas, éste pueda determinar el alcance de las irregularidades detectadas en su día por la Auditoría Interna de la Expo". Propuesta de reparación que secundaría el 11 de noviembre el grupo de Convergencia i Unió, acompañada de una enmienda transaccional a la formulada: que el gobierno "adopte a la mayor brevedad las medidas oportunas para que, de acuerdo con criterios de eficacia y rentabilidad, teniendo en cuenta su futura utilización, proceda a reparar las averías existentes, para que quepa cuanto antes acceder al Archivo Óptico que contiene la documentación relativa a la Expo92 y se facilite su futuro uso".

Hubo que esperar a la siguiente legislatura —ya en 1996, con cambio de gobierno— para que llegara a debatirse. Con apoyo en documentos relativos a un proceso judicial se resaltó que el Tribunal de Cuentas había considerado que durante la ejecución de los trabajos de fiscalización la mayor parte de la infraestructura utilizada por Expo–92 para el tratamiento mecanizado de la información no era operativa o se había enajenado a terceros. En consecuencia, no se había podido acceder a la información que pudiera existir en diversos soportes magnéticos y ópticos guardados por la sociedad. Igualmente, el Tribunal de Cuentas refleja que la auditoría interna de la Expo ya había señalado la existencia de numerosos defectos formales en los expedientes de contratación, tales como no constancia de las ofertas presentadas, falta del informe de la asesoría jurídica sobre los pliegos de contratación, retrasos en la emisión de certificaciones de obras y modificaciones en los presupuestos de adjudicación. Todo esto faltaba y fue incorporado a posteriori en una operación de maquillaje de altos vuelos.

Yo había terminado mi intervención alegrándome, porque habíamos "conseguido que la Expo–92, de verdad, se convierta —cuatro años después— en una exposición universal, donde se haya expuesto todo; hasta la documentación". Al final, la proposición resultó aprobada por unanimidad, después de que el portavoz socialista malgastara su intervención con descalificaciones personales, sin argumentación alguna[93].

Muchos de estos problemas planteados encontraron más tarde respuesta en una ejemplar comparecencia del nuevo presidente de AGESA: el señor Betés de Toro, que no dudó en informar sin tapujos[94].

No faltó una referencia al archivo. El Archivo Óptico "se repara en el primer cuatrimestre del año, en base a la proposición no de ley de 23 de diciembre de 1996"; se realizó su reparación, "cuyo coste ascendió a 445.800 pesetas más IVA".

Telemundi, empresa de la que habíamos anunciado protagonismo no defraudó. No en vano ya en las iniciales auditorías internas, a las que Pellón puso fin, figuraba una recomendación para exigir a Telemundi el cumplimiento de sus obligaciones para el logro óptimo de su gestión[95].

En sus respuestas a las cuestiones planteadas en la comparecencia, no dejó de desvelar un dato novedoso: "He tenido ocasión de alegar al Tribunal de Cuentas que el expediente de Telemundi desapareció de los archivos de Expo en julio de 1991"; "el expediente

---

93 Diario de Sesiones del Congreso de los Diputados. Pleno y Diputación Permanente. Año 1996. VI Legislatura. Núm. 50. Sesión Plenaria núm. 349. Martes 17 de diciembre 1996. págs 2015, 2012. 2013 y 2018.

94 Las siguientes citas entrecomilladas proceden del Diario de Sesiones. Cortes Generales. Comisiones Mixtas. Para las relaciones con el Tribunal de Cuentas. VI Legislatura. Año 1997. Núm. 78. Sesión núm. 16. Lunes, 17 de noviembre de 1997, celebrada en el Palacio del Congreso de los Diputados, págs. 1601–1608 y 1614.

95 ABC de Sevilla de 22 de octubre 1992.

en sí, toda la correspondencia a la que aludía el señor Ollero, no he podido comprobarla porque no está en los archivos".

Lo que me llevaría a afirmar: "esto explica la resistencia del gobierno del PSOE a arreglar el Archivo Óptico de la Muestra". Según el informe del Tribunal de Cuentas sobre la contabilidad de la Expo–92, la revisión efectuada durante la fiscalización del contrato suscrito con Telemundi no permitió conocer con exactitud mi justificar razonablemente cuáles fueron las prestaciones realizadas por dicha empresa y por las que se pagaron elevadas comisiones, que ascendieron "a un importe aproximado de 6.500 millones de pesetas"[96].

Las primeras impresiones sobre AGESA del compareciente no dejaron de resultar elocuentes. Nombrado el 2 de julio de 1996, afirma: "me encuentro con una organización sobredimensionada para las tareas que en ese momento debía realizar la sociedad; una organización excesivamente compleja, que cuenta con departamentos cuyas funciones no están perfectamente delimitadas y chocan unas con otras".

En consecuencia, "AGESA pasa de contar con una dirección general, un director gerente y nueve departamentos, a contar con un director general y cinco departamentos; de tener 68 empleados, a tener 38". Con una "reducción de gastos corrientes del 41 por ciento, en porcentaje, y 268,8 millones de pesetas en importe". Cierra la oficina de Madrid "por considerar que no resulta en absoluto necesaria".

96 ABC de Sevilla de 2 de octubre 1996.

29. LAS CUENTAS ACABAN CON LOS CUENTOS

El nuevo presidente de AGESA asumió la responsabilidad sobre la “adecuada reutilización de los bienes que quedaron después de la Exposición”. Desmintió que la Expo hubiera “generado beneficios por valor de 18.000 millones de pesetas”. “Las pérdidas son de 121.545 millones de pesetas”, de los que el 98’3 por ciento”, es decir, “119.400, corresponde al periodo 1982 a 1992”, mientras “los 2.100 millones de pesetas restantes corresponden al período 1993–1997”. La “sociedad estatal [de la Expo] es la sociedad estatal, dependiente de Patrimonio del Estado que más dinero ha perdido de todas”. El “Estado ha aportado a la sociedad 188.651 millones” y supondrán en junio del año 2000 “en torno a los 228.000 millones”.

El edificio Expo —que luego, preguntado, aclaró que había construido Dragados— “es un activo que me ocupa muchas horas al día, porque, habiendo sido enajenado en el año 1990, sin embargo, nos ha quedado un pleito pendiente. Se “vendió sobre plano, sobre proyecto, en el año 1990 y no se cobraron más que 650 millones de pesetas, los dos primeros plazos del precio. Llevamos tres arbitrajes y tres laudos y no vemos solución, por cuanto que el comprador tiene una insolvencia patrimonial tremenda. Nos debe más de 5.000 millones de pesetas”. El “árbitro ha condenado a la sociedad a reparar las deficiencias del edificio, que están demostradas”; “la reparación, según nuestros estudios técnicos, alcanza una cifra de 545 millones de pesetas”. El “coste del edificio ha sido de 6.835 millones de pesetas más los 545 que ya nos estamos gastando en reparar el edificio”. “El edificio se vende en 4.750 millones de pesetas”. El comprador pagó “650 millones de pesetas y no ha vuelto a pagar nada más”.

En cuanto al Pabellón de los Descubrimientos, con un costo de “6.028 millones de pesetas”, dada su situación actual, “habría que dar de baja en cuentas la parte quemada, que es el 80 por ciento de la superficie” y no encuentra razón “que justifique a los administradores de la sociedad estatal” no haberlo hecho.

Respecto al llamado edificio CECO: "esa infraestructura realmente ya no tiene utilidad" y "administradores de la sociedad estatal en los primeros meses de 1993 también deberían haber reducido a una cifra muy pequeña o a cero ese valor contable, por cuanto que su posibilidad de recuperación del coste era imposible"; en consecuencia, "no existe razón que justifique que el CECO mantuviera en cuentas el valor activo de 1.029 millones de pesetas".

Sobre el Pabellón del Siglo XVI: "Acabada la Exposición Universal, no hay razón para que ese pabellón no estuviera reducido en la contabilidad a cero"; "tampoco hay, a mi juicio, razón que justifique a los administradores no dotar en los libros la correspondiente provisión para compensar íntegramente el coste de construcción del pabellón". "No tiene sentido que el pabellón del Siglo XVI, cuya demolición se convino; o el pabellón de los Descubrimientos, que se incendió, no se provisionaran".

Por lo demás, "La situación por la que se optó determinó que las pérdidas derivadas de la provisión de los activos se han ido contabilizando según haya ido convirtiéndose en certeza lo que antes eran indicios". No ahorró cifras: "El valor neto contable del pabellón de la Navegación, que, después de amortizaciones, a 31 de diciembre de 1992, estaba en 5.002 millones de pesetas, redondeo, está actualmente en 863 millones. No llega al 20 por ciento que yo señalé. El Palenque, cuyo valor neto contable a 31 de diciembre de 1992 era de 2.469 millones de pesetas, actualmente está en contabilidad en 249 millones. El edificio de la Prensa, cuyo valor neto contable a 31 de diciembre de 1992 era de 1.353 millones, está ahora en contabilidad en 410 millones. El auditorio, cuyo valor a 31 de diciembre de 1992 era de 4.852 millones, en la actualidad está en 198 millones. Y el teatro central, que estaba en 2.560 millones de pesetas, está ahora en 104 millones".

En cuanto a la eficiencia del ente Cartuja 93, que "tiene por función básica la de constituir un foro de encuentro de las administraciones públicas, entre las que se encuentra la del Estado", "también la niego. Creo que ha costado más de 2.300 millones de pesetas desde 1993 para acá".

Respecto a AGESA, resaltó que ahora "los gastos de personal son 255 millones de pesetas frente a los 445 millones que había" y los cambios introducidos permiten que "los gastos corrientes operativos, que alcanzaban la cifra de 671 millones de pesetas, ahora sean de 402,5 millones".

Sobre la "manifiesta sobrevaloración de activos", el presidente de AGESA señaló que el "exceso de valor o las provisiones dotadas son consecuencias del período 1982–1992; es decir, que no ha habido decisiones desde 1993 que hayan perjudicado. Quizá ha habido alguna, pero me la callo". "La pérdida total de Expo será de unos 128.000 o 130.000 millones a finales del año 2000. Ahora es de 121.545 millones de pesetas".

30. PRONÓSTICOS PREVIOS CONFIRMADOS

Olivencia no había dejado de apuntar el año anterior: "Mis advertencias de que la legalidad, que yo defendía, no era incompatible con la eficacia no eran infundadas. Se me acusaba entonces de reglamentarismo y ahora se demuestra que, en algunos puntos, yo tenía razón, porque —desde la óptica de un jurista— el derecho no puede ser una rémora para la eficacia".

Por mi parte, apunté entonces que "no se va a poder llegar al final porque la Expo no se liquidó cuando estaba previsto y se creó la sociedad AGESA, con la finalidad de asumir los activos sobrevalorados de la muestra y reducirlos a su valor real, lo que ha aumentado el déficit. Se podrá discutir luego si la Expo, con lo que significó, salió o no barata pero la realidad es esta. Pellón tendrá que explicar cómo llegó a dar un balance positivo de las cuentas de la Expo de más de diez mil millones de pesetas cuando la realidad es que las pérdidas superan ya los treinta mil"[97].

Conocido, por fin, el informe del Tribunal de Cuentas, su presidenta —Milagro García Crespo calificó de "desajuste contable" los 28.000 millones, que responsables de la Expo presentaron como ingresos, cuando se trataba en realidad de subvenciones, por lo que habrían de añadirse a las pérdidas. Eso explica sus palabras: "la contabilidad de la Expo asegura que en 1992 le salen unos beneficios de 17.000 millones de pesetas, y esto no es falso, pero el Tribunal de Cuentas lo que le dice es que la Expo ha funcionado desde 1982, por lo que en este periodo, viéndolo año por año, le salen cinco mil millones de pesetas de pérdidas, tal y como tienen las cuentas presentadas". Aludió igualmente a una puntualización del fiscal, respecto "al abono de las pagas extraordinarias de Navidad de algunos trabajadores que no se sabe si tendrían que haberlas pagado y que ascienden a doscientos millones".

97 ABC de Sevilla de 20 de junio 1996.

Por mi parte, afirmé que el informe: "dice taxativamente que las pérdidas de la Expo son de 35.000 millones de pesetas y que no se deben a desajustes contables. Dice que la contabilidad de 1992 es "ilegal" y, aunque en ningún caso se habla de posibles responsabilidades penales, "sí se habla de posibles responsabilidades fiscales, por las indemnizaciones millonarias que cobraron altos cargos y funcionarios y que posteriormente no cumplieron con el impuesto sobre la renta"[98].

El aquel momento los comentarios suscitados fueron variados. La prensa[99] recogió que el andaluz ministro de Trabajo, Javier Arenas, "recordó al PSOE, eso sí, que el fin de la Expo 92 no lo justifica todo, y reprochó a los gobiernos presididos por Felipe González que debían haber respetado más los métodos: Hemos vivido unos años en los que las grandes celebraciones han obsesionado a determinados gobiernos, y hay que ser respetuosos no sólo con los fines, sino también con las normas y los procedimientos".

"No fue tan prudente, ni con mucho, el portavoz del PP en Andalucía. Manuel Atencia, sin conocer el informe, lo tildó como demoledor, y a continuación denunció los graves indicios de corrupción observados, según él, en esa auditoría. Exigió incluso a los socialistas que devuelvan todo el dinero que se llevaron" en línea con la precipitada intervención, el viernes, del, portavoz adjunto del PP en el Congreso, Ramón Aguirre".

"El coordinador de comisiones del PP en el Congreso, Rafael Hernando, tampoco se frenó. Acusó al PSOE de estar inmerso en un proceso de parálisis cerebral y añadió que el portavoz parlamentario socialista, Juan Manuel Eguiagaray, se describe a sí mismo cuando habla de los populares como gusanos que buscan podredumbre".

El diario no dejó de dedicarme un párrafo: había calificado de "ininteligible la posición expuesta la noche del viernes por la pre-

98 ABC de Sevilla de 1 de noviembre 1997.

99 EL PAÍS 2 de noviembre de 1997.

sidenta del Tribunal sobre las pérdidas de la Expo, luego aventuró que éstas son el triple que las declaradas, y al final acusó al PSOE de haber promocionado una curiosa fluidez de paso de funcionarios entre el Tribunal de Cuentas a la Expo, y viceversa".

Dos semanas después[100], recogiendo el debate en la Comisión de relaciones con el Tribunal de Cuentas, tituló: "Ollero: se sobrevaloraron activos para disimular pérdidas". A su juicio, sumé a mi "conocido tono crítico sobre la Expo algunos sarcásticos. Así, por ejemplo, "dijo que estaba dispuesto a admitir el beneficio social de la Expo, aunque no es lo mismo un parque de Investigación y Desarrollo que un parque de atracciones. Ollero puso énfasis en la sobrevaloración del inmovilizado por los gestores de la Expo e interpretó que esa era una técnica deliberada para disimular pérdidas".

Levantó acta: "formuló cerca de 20 preguntas, que sirvieron al presidente de AGESA para dar una información pormenorizada de las pérdidas de la Expo y de algunas deficiencias, y declaró que se avergonzaba, como andaluz, de que Jacinto Pellón, ex consejero delegado de la Expo, recibiese la medalla de oro de Andalucía, después de haber cobrado una indemnización de 21 millones de pesetas, y de que 3,5 millones fueran atribuidos a que no recibió el preaviso de despido, cuando él era la máxima autoridad en materia de contratación".

En efecto tal hecho no dejó de llamarme la atención. "Para no saber de contabilidad, Pellón siempre se equivoca a su favor. Todavía no hemos visto que se haya confundido en contra de sus intereses". Me había quedado literalmente estupefacto cuando afirmó que "todo este maná de millones fue para preservar la paz social entre el personal y los directivos, con lo que cabe concluir que allí, en la isla de la Cartuja, todos eran enemigos entre sí y que el pacifismo bien entendido empieza por uno mismo".

---

100 EL PAÍS 18 de noviembre de 1997.

En documentos enviados a las Cortes el 15 de octubre del 92, informó de que iban a pagarse 1271 millones en indemnizaciones, pero según el Tribunal de Cuentas han sido 1796[101]; una jugosa desviación contable.

Izquierda Unida intentó, sin éxito, pero con insistencia la puesta en marcha de una Comisión de Investigación, quizá para compensar diferencias de protagonismo a lo largo de un quinquenio. Ya en junio del 96 tuve ocasión de pronunciarme al respecto.

"Los políticos socialistas que afirman ahora que lo gastado en la Expo bien gastado estuvo intentan desviar la atención sobre el problema real. Tendrían que explicar por qué, si no se había gastado de más, se empeñaron en aparentar que se habían ganado más de 17.000 millones, cuando —aun aceptando una abusiva sobrevaloración de activos— se habían perdido ya más de 37.000.

"No es ahora el momento de discutir si la Expo fue cara o barata, sino de dejar claro que no cabe manipular balances para engañar a los ciudadanos. El problema no es ya sólo de despilfarro sino de vergüenza política. Se han rehecho las cuentas anuales de la Expo anteriores a 1992 para desplazar hacia ellas las pérdidas con la innegable intención de ocultar la cuantía de lo gastado y los pésimos resultados de la gestión".

Mostré mi "asombro al comprobarse que los mismos partidarios de sacrificar el control y la transparencia a la eficacia han incurrido en chapuzas de gestión tales como gastarse 200 millones en fabricar el doble de entradas de las necesarias, o conseguir perder 1.420 millones de pesetas a la hora de alojar a un número de participantes perfectamente conocido con un año de antelación. No se sabe, por otra parte, si habrá que considerar como una muestra de eficacia que las entradas sobrantes se destruyeran en 1994, tras anunciarse la intervención del Tribunal de Cuentas, o que los hoteles a los que se comprometieron a abonar habitacio-

---

101 ABC de 12 de julio 1996

nes —se cubrieran o no— estuvieran todavía en construcción o incluso en proyecto".

No oculté a la vez mi extrañeza ante la propuesta de IU de que se creara una Comisión de Investigación sobre el particular. "Debe habérsele ocurrido a alguien que no conoce bien el parlamento. O no sabe qué hacer para chupar cámara o ignora que existe ya con carácter permanente nada menos que una Comisión Mixta Congreso–Senado encargada de analizar políticamente lo fiscalizado por el Tribunal de Cuentas; en ella es donde habría que solicitar la ulterior fiscalización de AGESA, de la que el Grupo Popular viene hablando desde antes de que surgieran las primeras noticias sobre el anteproyecto de Informe del citado Tribunal".

Ante dicha Comisión Mixta presentó el grupo popular veinte vías de investigación sobre la Expo, como alternativa a la propuesta de Izquierda Unida., que no nos parecía la iniciativa más eficaz para llegar hasta el final de este asunto. No estamos por cerrar en falso un escándalo como este, con una comisión de investigación que dure tres meses y que, al final, no aclararía nada. Ante las críticas a su grupo, el representante del partido socialista, Femando Jimeno, rechazó la propuesta de Izquierda Unida y aseguró que "parece que el PSOE sigue en el poder".

Para culminar este culebrón, como consecuencia de una acción popular, la Audiencia Nacional sería escenario de tres autos del juez Garzón[102], imputando a ocho responsables de Expo de, al menos, nueve delitos: maquinación para alterar el precio de las cosas, estafa, alzamiento de bienes, prevaricación, cohecho, tráfico de influencias, malversación de caudales públicos, delito contra la hacienda pública y falsedad.

Pellón solicitó a la Expo que asumiera su defensa, lo que me llevó a suponer que se trataba de un rasgo de ironía, porque "cuando fui demandado por uno de sus más directos colaboradores, Pellón.

[102] ABC de 10 de diciembre 1997.

no sugirió, en modo. alguno, que el Congreso de los Diputados corriera con los gastos; sino que estuvo muy prudente, guardando un elocuente silencio"[103].

Cuando más tarde —demandado por Pedro Pacheco, presidente de Tierras de Jerez, insistió en que lo defendiera el Estado— comenté que habría hacer lo mismo con Barrionuevo. Por si faltaba algo, el partido andalucista, cuyo diputado Pérez Bueno se había mostrado, jaleado por su partido, activo en el control de la Expo, se veía ahora llamado al silencio para no desprestigiar a Andalucía. Me asombré, como cierre de temporada, de que el partido andalucista creyera que "defender la chapuza y la corrupción es defender a Andalucía"[104].

---

[103] ABC de 20 de diciembre 1997.

[104] ABC de Sevilla de 31 de diciembre 1997.

COLABORAR A RESALTAR LA VERDAD VALE LA PENA

El rifirrafe entre los portavoces de los partidos resultó, a la vez, irremediable. Tuve oportunidad de admitir que "el portavoz socialista, ha hablado tanto que me ha dado muchos argumentos. Ha resaltado con gran intrepidez que la existencia de una auditoría interna de la Expo expresaba la voluntad de transparencia. En efecto, por eso cuando se va el señor Olivencia desaparece la auditoría interna de la Expo"[105].

Como colofón, el grupo parlamentario de Izquierda Unida, que se había ocupado moderadamente de la cuestión a lo largo de los años, propuso la creación de una comisión de investigación sobre la Expo. Salieron a relucir numerosas citas doctrinales, que consideran que tales iniciativas solo "sirven para atraer la atención de la opinión pública", lo que ya habíamos conseguido con creces; "venimos investigando parlamentariamente esto desde 1987, hace diez años. No se nos ocurre ahora decir que es necesario investigarlo". "Me hubiera gustado que S.S. hubiera planteado más iniciativas parlamentarias sobre la Expo porque en los últimos años ha hecho tres". El plazo de funcionamiento propuesto no era realista: "una comisión de investigación sobre la Expo en tres meses, con la que hay montada, se cierra en falso. Sus señorías se hacen unas fotos, salen muy bien en la televisión y se acabó". La votación resultó elocuente: 313 votos; a favor, 23; en contra, 290[106].

Tras estos años de brega parlamentaria me reconfortaba evocar una simpática anécdota, que encerraba un peculiar reconocimiento.

---

105 Cortes Generales. Comisiones Mixtas. Para las relaciones con el Tribunal de Cuentas. VI Legislatura. Año 1997. Núm. 78. Sesión núm. 16. Lunes 17 de noviembre de 1997, celebrada en el Palacio del Congreso de los Diputados, pág. 1610.

106 Diario de Sesiones del Congreso de los Diputados. Pleno y Diputación permanente. Año 1997. VI Legislatura. Núm. 123. Sesión Plenaria núm. 119. Martes 9 de diciembre de 1997, págs 1643–1655 y 1657.

"¿Quién fue el diputado del PP que denunció las irregularidades contables de la Expo?; es una de las preguntas incorporadas por la edición del popular juego del 'Trivial', para poner a prueba la información disponible por los participantes al finalizar 1993. La respuesta señala: Andrés Ollero"[107].

Al hilar estos recuerdos, recuerdo un punto de apoyo, que me ayudó a mantener esos años brega. Las páginas de Diario de Sesiones no hubieran sido suficientes para alimentar el necesario tesón; pero no faltaron otras. El diario ABC, en su edición de Sevilla, dirigida por entonces por Francisco Giménez Alemán, mantuvo una sección diaria en torno a la Expo y no dejó de prestar atención a sus secuelas, reflejadas en más de una ocasión en la edición nacional. Mi cotidiano interlocutor en la confección de ese retablo de las maravillas, fue el joven periodista Manuel Florencio. Ellos, al brindar eco a esta tarea parlamentaria, se convirtieron de hecho en sus auténticos coautores.

En todo caso, por si puede haber quedado mal sabor de boca, ahí van unas líneas de prensa de cuarenta años después, sobre los pabellones que quedan en pie. "De los 120 pabellones que componían la oferta de la Expo, todavía siguen manteniendo el mismo aspecto 52, casi la mitad. La cifra puede parecer negativa, pero la perspectiva cambia cuando se ofrecen todos los matices: sólo 33 de ellos se construyeron con la intención de que fueran permanentes. El resto de los edificios nacieron como construcciones efímeras como los que ahora se están recuperando"[108].

---

107 ABC de Sevilla de 11 enero 1994.

108 ABC de Sevilla de 3 de mayo de 2023.

Capítulo II

LOS PROBLEMAS DEL MUNDO EDUCATIVO

La nueva legislatura me había llevado a recuperar la función de portavoz, que ya había asumido siete años antes —en mi debut en la anómala *agrupación parlamentaria* del PDP, de poco más de una veintena de integrantes— con una posibilidad de intervención oral ahora muy superior a la que se me había ofrecido en la recién clausurada, integrado ya en un grupo con más de un centenar de diputados.

Me resultó ahora muy satisfactorio poder ocuparme —como portavoz de educación del grupo parlamentario popular— de los problemas propios de la Comisión correspondiente del Congreso, convirtiéndome en asiduo interlocutor del ministro del ramo. Tal tormento le cayó inicialmente en desgracia a Gustavo Suárez Pertierra, parachutado desde el Ministerio de Defensa, lo que popularizó la broma de considerarlo ministro por tierra, mar y aire. Casi en veinte ocasiones tuve oportunidad de dialogar con él, en pleno o comisión, y otras tantas con altos cargos de su departamento, en los que había delegado.

Recibía Suárez tan pesada carga del hábil Alfredo Pérez Rubalcaba, que había hecho sus primeras armas como jefe de gabinete del doctrinario José María Maravall, fantasioso inventor de la educativa LOGSE y la universitaria LRU. Cuando Alfredo acabó convirtiéndose en ministro del ramo sabía de lo que iba el asunto y no perdió la oportunidad de cambiar de aires cuanto antes. Aguantó un año y dieciocho días —la cuarta parte que su antecesor Solana— y prefirió pasar a Presidencia y portavocía del gobierno, que no era despreciable alternativa.

1. PARA EMPEZAR, FORMACIÓN PROFESIONAL

Mi primer encuentro con Suárez Pertierra fue, en una comparecencia en la Comisión de Educación solicitada por el grupo popular[109]. Comencé deseándole suerte; egoístamente, ya que ello redundaría en general beneficio. Se le vio poco placeado, ya que aludió a la enseñanza *no universitaria*, invocación nada apreciada por los del aludido gremio. Le critiqué que estudiantes del primer ciclo de formación profesional hubieran sido forzadamente insertados en una educación secundaria, que comenzaba a ponerse en marcha. Le mostré un documento ministerial de 1992, que daba por hecho que para junio de 1993 estarían publicadas las veintitrés familias de títulos de esa vertiente educativa y, tres meses después solo se había publicado una; así como la contradicción de haber hecho incompatible la docencia en esta rama con otro ejercicio profesional, a la vez que se aspiraba a implantar una formación *dual*, a la alemana. Igualmente consideré necesario plantearle la difícil implantación de tal sistema en zonas de escaso tejido empresarial. El ministro reconoció, obviamente, el notable retraso experimentado y prometió asumir compromisos trimestrales al respecto[110].

La formación profesional gozó, ochos meses después de la primera, de una comparecencia específica del ministro[111]. Mi intervención fue en este caso secundaria, porque cedí la portavocía a la diputada Cremades; pero pude recordarle que de las 23 familias de

---

[109] Congreso de los Diputados. V Legislatura. Comisiones núm. 25. Educación y Cultura. Sesión núm. 3. Martes 28 de septiembre de 1993, págs. 279–283.

[110] La cuestión volvería a surgir en comparecencia posterior, al recordarle que llevaban un año de retraso, insistió en que "en el presente año 1994 la práctica totalidad de las titulaciones, que son una treintena de familias profesionales, pero más de 200 titulaciones de carácter específico, estarán publicadas" —Congreso de los Diputados. V Legislatura. Comisiones núm. 129. Educación y Cultura. Sesión núm. 10. Miércoles, 2 de marzo de 1994, págs. 4066 y 4074.

[111] Congreso de los Diputados. V Legislatura. Comisiones núm. 199. Educación y Cultura. Sesión núm. 15. Miércoles, 4 de mayo de 1994, págs. 5884 y 5890.

títulos solo estaban en marcha 6, con casi un año de retraso respecto al último anuncio. El ministro no ahorró promesas: "espero que pueda tener aprobados la práctica totalidad de los títulos de formación profesional a lo largo de este año".

La endémica demora a la hora de llevar a cabo tales compromisos llevó al grupo parlamentario popular a presentar en el Pleno[112] una proposición no de ley sobre promoción y coordinación de la formación profesional, a punto ya de finalizar el año. El gobierno seguía sin ofrecer "algo tan elemental como un mapa de las titulaciones". "Del total de 22 o 24 familias, porque algunas se están subdividiendo en el proceso, hay publicadas oficialmente 10". De poco había servido que "en esta Cámara se han aprobado dos resoluciones, la 35 y la 78, después del debate del estado de la Nación". "En cuanto a títulos, según el ministro, el total son 150. Según él, se han publicado 60". Por lo demás se ha olvidado que "la figura del profesor especialista es imprescindible" para enlazar con las empresas. Preocupa igualmente la "falta de coordinación entre esta formación profesional reglada propia del Ministerio de Educación y la formación profesional ocupacional propia del Ministerio de Trabajo".

Por el grupo socialista presentó una enmienda la entonces relevante diputada Carmen Romero, que hizo gala de una inesperada agresividad. "Me ha llamado hasta catedrático, además con retintín", me quejé. En la votación se demostró el control de la mayoría parlamentaria vinculada al gobierno socialista con 10 votos de ventaja.

En una posterior comparecencia[113] el ministro parece contento con la aprobación de "13 familias, de un total de 22 (pasado mañana serán 16)".

112 Congreso de los Diputados. V Legislatura. Pleno núm. 116. Sesión núm. 15. Martes, 20 de diciembre de 1994, págs. 6249–6255.

113 Congreso de los Diputados. V Legislatura. Comisiones núm. 477. Educación y Cultura. Sesión núm. 38. Jueves, 20 de abril de 1995, págs. 14574–14575.

2. UN SISTEMA EDUCATIVO EN OBRAS

Para acabar complicando el cuadro, a los recortes presupuestarios se unió un pactado calendario de transferencias educativas a las comunidades autónomas, que motivó una nueva pregunta oral en comisión[114]. La consecuencia era que el mismo gobierno que obligaba a retrasar la aplicación de la LOGSE, no perdía oportunidad de adelantarla donde le pareciera, sin dar entrada en las conferencias sectoriales a las comunidades que estaban a punto de recibirlas. Las había que establecían por su cuenta la gratuidad de la educación infantil, aplicando ya la ley mejor que el ministerio. A más de una se le transferían los problemas, pero no los recursos ni las competencias, pero el ministro prefería hablar sobre las transferencias de universidades.

La situación quedó de relieve al debatirse en Pleno el proyecto de ley, en lectura única, sobre provisión de plazas de funcionarios docentes[115]. Queda de manifiesto que el gobierno socialista se ve obligado a pactar con CiU, enmendando el proyecto que ya había elaborado en la anterior legislatura. Los nacionalistas pretenden sustraerse a los concursos nacionales y el gobierno cede. Se olvida el concurso nacional anual y se admite que las comunidades autónomas puedan en todo momento *redistribuir* su profesorado, sin hablar de *concursos* sino de "procedimientos de provisión"; con lo que para un posible concurso nacional quedarían, si acaso, los restos vacantes. A la vez se insiste en dar entrada a discutidos centros públicos con ideario, disfrazado de *proyecto educativo*.

---

114 Congreso de los Diputados. V Legislatura. Comisiones núm. 109. Educación y Cultura. Sesión núm. 8. Martes, 14 de febrero de 1994, págs. 3484–3489.

115 Congreso de los Diputados. V Legislatura. Pleno. Núm. 68. Sesión núm. 67. Jueves, 28 de abril de 1994, págs. 3392–3415.

3. PROPOSICIÓN DE LEY: EDUCACIÓN INFANTIL GRATUITA

Respecto a problemas educativos, había ya criticado al ministro en su debut la forzada ruptura —con perturbador cambio de centro— entre la etapa infantil y la primaria; con la absurda excusa de que solo la segunda era obligatoria. Comencé ya a plantear una exigencia, que se vería no pocas veces reiterada: la necesaria gratuidad de la educación infantil, para atajar en su raíz las desigualdades[116].

Ese planteamiento llegaría a convertirse más tarde en una proposición de ley presentada por el grupo parlamentario popular[117]. Se reiteró dicho argumento —partiendo de que un juez andaluz había procesado a varias decenas de padres por no escolarizar a sus hijos— señalando que "difícilmente unos padres de familia podrían verse obligados a escolarizar a sus hijos hasta el punto de poder acabar en un tribunal, si no se les diera los medios necesarios para que eso fuera posible". Situación sin duda más frecuente al condicionarla el positivo creciente acceso de la mujer a puestos de trabajo. Todo ello resultaba más sorprendente, dado que el artículo 1.1 de la LODE "ya preveía de una manera expresa que la gratuidad no solamente se extendería a la educación básica, sino también a aquellas etapas que decida la ley".

El intento de descalificar la propuesta, calificándola de ardid para ampliar la enseñanza concertada, encontró como respuesta: también queremos que se pueda "elegir entre los centros estatales. Queremos que la libertad de enseñanza no se entienda como la libertad de evadirse de los centros estatales, sino como la libertad de elegir entre cualquier tipo de centros". La proposición fue rechazada por trece votos, mediando cinco abstenciones.

---

116 El argumento se reiterará en el debate en Pleno de los presupuestos generales para 1995 —Congreso de los Diputados. V Legislatura. Pleno. Núm. 106. Sesión núm. 105. Lunes, 21 de noviembre de 1994, pág. 5449.

117 Congreso de los Diputados. V Legislatura. Pleno. Núm. 173. Sesión núm. 171. Martes, 3 de octubre de 1995, págs. 9221–9233.

4. CÓMO HACERSE CON DIRECTORES E INSPECTORES

Otro problema señalado, cuyo tratamiento se convertiría en clásico, fue el de los directores escolares. Se había eliminado el cuerpo funcionarial existente, hablando de participación, y se acabó designándolos a dedo, a la vez que se clamaba por su estabilidad. Elocuente al respecto fue un doble proyecto de ley: se prorrogaba el mandato de los órganos unipersonales de gobierno de los centros docentes sostenidos con fondos públicos, pretendiendo mantener una participación que le diera aire representativo, mientras que el proyecto paralelo —sobre participación y evaluación de centros docentes— planteaba una estabilidad de cinco años para los directores que habían sido nombrados a dedo y merecieran —a juicio de la Administración, no del centro escolar— considerarse acreditados.

Lo relativo a los inspectores quedó de relieve en esta misma Comisión[118] —al comparecer el Subsecretario de Educación, haciendo el quite al ministro— que había acabado de comparecer en ella. Mi pregunta oral estaba motivada al haberse anulado judicialmente una convocatoria de plazas con tal objetivo. El panorama era elocuente. Se trataba también de mantener por las buenas a los designados a dedo. Siete de ellos habían sido nombrados como "accidentales, que en teoría cumplían su labor durante un año"; verdad era que algunos habían sido renovados hasta nueve años, con lo que "han continuado siendo inspectores jefes nada menos". A la vez, "diecisiete docentes que ejercían interinamente función inspectora", "siguen siendo coordinadores, ejercitando la función de coordinación respecto a inspectores definitivos". Si lo solicitan, "se les acreditará el tiempo de ejercicio en la función inspectora educativa que cada uno de ellos hubiese efectivamente realizado, que se les acreditará como antigüedad"; todo ello pese a no haber estado válidamente desempeñando esta función.

---

118 Congreso de los Diputados. V Legislatura. Comisiones núm. 477. Educación y Cultura. Sesión núm. 38. Jueves, 20 de abril de 1995, págs. 14589–14591.

Ante los temas planteados, el subsecretario se escudaba en que no tenía datos, pese a que conocía con antelación la pregunta que se le iba a formular... Llamaba la atención que alguien, a quien se consideraba obligado darle un curso de dos meses para formarlo, pueda "ser durante ese mismo tiempo jefe de servicio, ni coordinar a profesionales que llevan muchísimos años en la carrera, a no ser que uno quiera acabar con la afición".

La cuestión quedó aún más clara en el Pleno, cuando —en el debate de totalidad— se deliberó días después sobre los dos proyectos en juego[119], abordando la prórroga de mandatos y el diseño de futuro. Tocaba estabilizar directores y resucitar el demolido *cuerpo* de inspectores, aunque renunciando a tal denominación para dejarlo en *categoría*. Se perfilaba "un objetivo, a nuestro modo de ver, no disimulado, que no hace falta tercera derivada ni nada por el estilo, y es la consolidación del territorio ocupado: que los directores que ustedes han puesto a dedo sigan estando ahí; que los inspectores que ustedes han puesto con unos principios absolutamente opuestos a los de esta ley se conviertan en inspectores de esta ley".

Que "no hay candidatos a director, lo solucionan ustedes de una manera muy original, hay que reconocerlo. Puesto que no hay candidatos a director, hagamos más difícil ser candidato". Se produce una curiosa "asimetría entre la duración del mandato de la comunidad escolar, del consejo escolar, que es de tres años, y se mantiene, y el del director, que es de cinco años" —más de una legislatura— una vez acreditado; porque para ser candidato hay que ser hombre de confianza de la Administración".

El posterior debate, sobre enmiendas de detalle, se ventiló en Comisión en doble sesión. La primera[120] se vio iniciada por una rigurosa crítica al previo trámite de ponencia. En vez de limitarse a

---

119 Congreso de los Diputados. V Legislatura. Pleno. Núm. 143. Sesión núm. 141. Jueves, 27 de abril de 1995, págs. 7578–7600.

120 Congreso de los Diputados. V Legislatura. Comisiones núm. 500. Educación y Cultura. Sesión núm. 39. Martes, 23 de mayo de 1995, págs. 15200–15209.

aprobar por consenso —como era habitual— enmiendas técnicas o de mera redacción, se denunció que dos grupos se habían aprobado las suyas —todas "las del Grupo Socialista y todas menos una del Grupo de Convergencia i Unió"— sin contar con el resto, abordando cuestiones de fondo que quedaban a sí excluidas del debate anunciado.

Volvió a la palestra la posible existencia de *proyecto educativo* en centros públicos, olvidando que "exigiría inevitablemente (como ocurre también con el carácter o con el ideario, ya que al fin y al cabo estaríamos en diversas manifestaciones de un fenómeno no muy diferente) respetar escrupulosamente la libertad de elección, para evitar la imposición de un proyecto educativo a determinados ciudadanos, con menoscabo de su libertad de enseñanza". Por lo demás, "el Gobierno pretende mantener a los directores que ha nombrado a dedo y por eso se niega a que pueda haber elecciones en centros donde haya candidatos y, en segundo lugar, pretende evitar que aquellos que han sido elegidos puedan tener un mandato más, como estaba previsto".

En la segunda sesión[121] fueron la acreditación de los directores y la configuración de la inspección los puntos más debatidos. Respecto a la acreditación se hizo notar que "se pretende mantener una elección por parte de la comunidad escolar, pero condicionada a la expedición de una especie de certificado de buena conducta, de afán de colaboración o de disponibilidad con la administración educativa de turno, por parte de los profesores"; lo que complicaba la elección de directores en un momento que en un 70% de ellos estaban nombrados a dedo. Igualmente se señala que —respecto a la Inspección– "en ponencia, de manera clandestina, se aprueba un cuerpo; lo de la *categoría* queda perdido en el trámite para la historia del derecho, y sin ninguna explicación pública; resulta que lo que antes era malo ahora es buenísimo,

---

[121] Congreso de los Diputados. V Legislatura. Comisiones núm. 541. Educación y Cultura. Sesión núm. 44. Viernes, 30 de junio de 1995, págs. 16489–16541.

tan bueno que todos los funcionarios que provisionalmente se han ocupado de la inspección van a poder integrarse en este cuerpo". Ni siquiera una enmienda, para que también pudieran integrarse en él los que en su día ingresaron por concurso en el ahora eliminado, fue aceptada.

Hubo —meses después— una tercera sesión de propina[122], al reclamar la Mesa de la cámara que se aclarara el carácter orgánico de determinadas previsiones de la norma. Lógicamente, fue el Pleno el que acabaría teniendo la última palabra, al deliberar sobre las enmiendas procedentes del Senado[123]. Hubo oportunidad de resaltar la curiosa transferencia al ámbito de la participación educativa del concepto sindical de la asociación *más representativa*; de modo que una asociación que contase con solo un padre o madre en un centro formaría parte del consejo escolar, si el resto de los padres no estaban asociados; se abriría así fácilmente paso, en la práctica, como la única existente en los centros públicos.

También se pudo recordar que "se hablaba en el proyecto original de que se haría público el proyecto educativo del centro para facilitar su elección, y el grupo socialista, en una enmienda clandestina en ponencia, eliminó la alusión a la elección". Todo invitaba a considerar que se trataba de una ley de despedida, generosa en "puestos de director, cuerpos de inspección, complementos retributivos hasta que la muerte nos separe, etcétera".

No faltó la anécdota de que alguien se había presentado a director de su centro, puesto que había renunciado la directora, pero el inspector de esa zona se negó a aceptar esa renuncia y a que se convocaran elecciones. "Da la casualidad de que el inspector es el Secretario de Organización del PSOE en esa zona; da la casualidad de que su nombramiento de inspector fue recurrido y anulado por

---

122 Congreso de los Diputados. V Legislatura. Comisiones núm. 551. Educación y Cultura. Sesión núm. 46. Miércoles, 13 de septiembre de 1995, págs. 16788–16791.

123 Congreso de los Diputados. V Legislatura. Pleno. Núm. 182. Sesión núm. 180. Miércoles, 8 de noviembre de 1995, págs. 9637–9645.

un tribunal judicial; da la casualidad de que, como hemos denunciado aquí, se le ha mantenido en su puesto igual; da la casualidad de que ahora, con esta ley, se convierte en inspector de por vida y da la casualidad de que sigue la misma directora porque no han admitido su renuncia".

5. CON LA LOGSE A CUESTAS

Dentro de este apartado, el azaroso desarrollo de la fantasiosa LOGSE maravalliana gravitaría sobre toda la trayectoria ministerial. De ahí su protagonismo en otra temprana comparecencia del ministro, en Comisión[124]. En ese marco —más flexible que el del pleno— al preguntante se le ofrecían, de entrada, unos diez minutos. En esta oportunidad, hubo un rifirrafe inicial, al decidir —sorprendentemente— el ministro contestar solo una pregunta y delegar en alguien de su equipo otras; se apoyaba en un presunto acuerdo de la mesa, que ignoraban incluso algunos miembros de ella. Tras resaltar la ausencia de precedente similar tuve a bien recordar al compareciente: "esto es una Comisión del Congreso de los Diputados. Como usted nunca ha formado parte de él, quizá no sepa lo que es. Esto no es un plató de televisión", al que acudir "como si esto fuera simplemente una ocasión de lucimiento personal y no de sometimiento al control de una Cámara que representa a los ciudadanos".

Superado tan inesperado exordio, pregunté al ministro si el gobierno pensaba retrasar de nuevo el calendario de aplicación de la LOGSE, como era de temer. Dado lo aparatoso del proyecto y las consiguientes exigencias de financiación, habría sido aconsejable una entrada en juego curso a curso, en vez de pretender poner en marcha de golpe todas sus etapas, buscando una irreversibilidad a prueba de alternancias de gobierno. Se consideró superflua una ley de financiación y se acabó estimando necesario aquello para lo que hubiera dinero y convirtiendo en menos importante el resto. El ministro optó por el eufemismo: "no hay retraso en el cumplimiento de la LOGSE; hay una adaptación del calendario de la reforma"; reconociendo —eso sí— "efectivamente, razones de carácter financiero" y que se hubiera descartado, pese a ello, una implantación curso a curso.

---

124 Congreso de los Diputados. V Legislatura. Comisiones núm. 89. Educación y Cultura. Sesión núm. 7. Martes, 14 de diciembre de 1993, págs. 2797–2082.

No disimulé mi escepticismo ante un anunciado posible final de la reforma en el año 2000, porque parecía preocupar más cuándo se estaba llevando a cabo que cómo: "ustedes adelantan el inglés, pero quien da inglés no sabe inglés"; "lo de menos es el retraso, lo peor es el deterioro". El ministro aclaró que la anunciada *adaptación*, consistiría, al fin, en aceptar avanzar curso a curso, pero por supuesto —a golpe de argumentario— "en absoluto hay retraso, ni se reconocerá esto por parte del ministerio".

El tema presupuestario evidenció un trato fallido, en la habitual posterior comparecencia de octubre de altos cargos ante la Comisión de Presupuestos. La asumió el secretario de Estado Álvaro Marchesi[125] en condiciones sorprendentes, dado que los datos facilitados en la documentación previa eran sistemáticamente falsos. Los llamados "indicadores de seguimiento" podrían resultar significativos, si se comparaba lo presupuestado para 1994 con la cifra prevista para el año anterior; pero, curiosamente, para evitar que se detectaran los recortes, se había optado por olvidar aquella cifra y sustituirla por la —claramente inferior— de lo efectivamente realizado a final de aquel ejercicio, simulando así —dados los recortes realizados— incluso presuntos incrementos para 1994 absolutamente falsos[126].

Por ejemplo, la presunta proporción profesor–alumno prevista para 1993 se cifraba en 20,30 y ahora pasaría en 1994 a 19,40; pero la cifra del 1993 era en realidad 19,42, lo que aparentaría obvia-

125 Congreso de los Diputados. V Legislatura. Comisiones núm. 47. Educación y Cultura. Sesión núm. 4. Martes, 19 de octubre de 1993, págs. 1289 y 1295.

126 El sentido de los indicadores volvería a plantearse en una pregunta oral en Comisión, tras recibir un escrito del ministerio que dejaba claro que no entendían la metodología fijada por la cámara al respecto: "hay unos criterios establecidos no por mí, sino por la Cámara. En este papel pone presupuestado, que es participio de pasado. Como nosotros no hemos sufrido la LOGSE sabemos lo que es el participio de pasado. Lo que usted ha presupuestado en 1993, presupuestado en 1993 está" —Congreso de los Diputados. V Legislatura. Comisiones núm. 80. Educación y Cultura. Sesión núm. 6. Martes, 30 de noviembre de 1993, págs. 2745–2549.

mente una pérdida mínima. El problema en los más variados casos es que la primera cifra es falsa, con lo que se sugerían presuntas mejoras que no tenían fundamento real alguno. Quizá pensaban, que "desde la oposición nadie se va a molestar en estudiar los datos". Todo ello en un contexto de "a más reforma menos dinero". "Uno puede hacer una reforma o no hacerla, lo que no puede es embarcar al país en una reforma, del calibre de la que está embarcado, y luego quitarle el dinero. Eso es una frivolidad imperdonable". Marchesi acabó reconociendo: "debo estudiar con más detenimiento esos datos, ya que en este momento no había caído yo en la cuenta de que hubiera esa disparidad".

El debate posterior con el ministro en el Pleno[127], al debatirse los presupuestos generales, no aportó grandes novedades. Volvió a salir a relucir la proposición para modificar aulas en infantil y primaria, como consecuencia de la bajada de natalidad, y las cifras hablaban por sí solas: los presupuestos, bajaron en 1992 un 30% respecto al año anterior; bajaron de nuevo en 1993 un 20% más respecto al año anterior y bajan para 1994 un 22 por ciento más en similar comparación.

Por lo demás el grupo popular lo tuvo fácil. Presentó siete enmiendas, que era atribuibles al exministro Solana, ya que reflejaban las cantidades que él consideró, en su día, imprescindibles para llevar adelante la reforma.

Al mes siguiente, Suárez Pertierra compareció en comisión para presentar un informe sobre la aplicación de la LOGSE[128]. Le sugerí que si yo hubiera anunciado su contenido hace algunos años me habrían tachado de catastrofista. No se hablaba de retraso, quizá porque le parecía ya normal. Apunté que el acróstico LOGSE se habría visto sustituido sin previo aviso por otro más conocido: RENFE,

---

127 Congreso de los Diputados. V Legislatura. Pleno. Núm. 28. Sesión núm. 26. Miércoles, 17 de noviembre de 1993, págs. 1168 y 1176–1177.

128 Congreso de los Diputados. V Legislatura. Comisiones núm. 129. Educación y Cultura. Sesión núm. 10. Miércoles, 2 de marzo de 1994, págs. 4064–4074.

es decir, Reforma Educativa Nominal Financiada Escasamente. A falta de dinero, el ministro hablaba mucho de valores; se ve que resultaba más barato hablar de ellos. Parecía obligado a exaltar una utilización altruista de la escasez; de la calidad docente pasábamos a la generosidad benéfica. Iban aceptando la gratuidad de la infantil, pero solo en zonas marginales. Lo mismo ocurría con las licencias de estudios. Los profesores de zonas marginales se podrían quitar de en medio un cuatrimestre. Ustedes "están pretendiendo demasiadas cosas y llega un momento en que se hacen un lío". Para los centros hacen "ofertas tan ingeniosas como a ver si los aficionados a la música enseñan música, porque no hay profesores".

El ministro continuó intentando explicar la adaptación en marcha, para "pasar la carga financiera y de otro tipo —didáctica, sí, pero también financiera, por qué no reconocerlo— de la aplicación del sistema desde los dos próximos cursos a los dos cursos finales del calendario de implantación de la reforma, que permanece el mismo que existía".

En esa misma sesión el ministro había solicitado otra comparecencia para hablar de sus ya famosas 77 medidas[129]. Entre ellas, la elaboración de materiales didácticos. Le recordé que su Secretario de Estado —Marchesi— había reconocido que la secundaria obligatoria se estaba realizando sin ellos. También habló de programas de formación, para generar mayor participación en los padres; le sugerí que tendría éxitos si no impusiera una zonificación que impide la elección de centro. Sobre los directores de los centros, quedó claro que habían "destruido a un cuerpo que servía para conseguir lo que ahora dicen que quieren conseguir"; intentan mezclar méritos y democracia, cuando los padres no son competentes para evaluar méritos. Por otra parte, el ministro asegura que esos profesores, "al terminar su mandato serán adscritos, a petición propia, a otro centro"; o sea que "podrán huir y usted les garantiza que les cubre la retirada".

---

[129] Ibidem, págs. 4083–4092.

También salió a relucir la propuesta de centros públicos con ideario homogéneo autogestionado por sus profesores. Los mismos que batallaron contra los centros concertados con ideario, elegidos libremente por los padres, se prestaban ahora a imponer idearios indiscriminadamente sin capacidad de elección alguna. Adoctrinamiento y ocupación clientelar del territorio[130] se vislumbraban en el horizonte. Todo sonaba a la "despedida de un partido que pierde el poder y que lo que quiere es vías para colocar a su personal de la manera más estable posible y para ocupar el máximo territorio". En la respuesta del ministro la LOGSE se vió ya acompañada de su sucesora, la LODE...

El problema se volvió a plantear cuando, no mucho después, celebré mi santo con una pregunta oral en pleno[131], para insistir en la necesidad de libre elección de centro, también en el sector público. El Tribunal Constitucional había entendido que, en ellos, al no disponer de ideario propio, "como consecuencia del juego de la libertad de cátedra, se produciría un pluralismo que impediría que cualquier alumno pudiera verse sometido a un ideario ajeno a su libre elección o a la de sus padres". Ahora, se han inventado centros públicos con *ideario*, en los que un grupo de profesores, con un *proyecto educativo común*, pueden copar las plazas de un centro de nueva creación, impidiendo el traslado de otros profesores que suscriban enfoque diverso; lo que derivaría a que los alumnos podrían acabar viéndose sometidos a un adoctrinamiento respecto a un ideario que ellos mismos no han elegido. Mientras que el Tribunal Constitucional ya evitó tal intento cuando los socialistas recurrentes intentaron distinguir entre *ideario* y *carácter* del centro, el ministro pretendía ahora lograrlo recurriendo al término *proyecto curricular*, negando a los alumnos la libre elección y sometiéndolos —a golpe de zonificación— a lo ideado por un privilegiado grupo compacto de profesores.

---

130 *Del doctrinarismo a la ocupación clientelar del territorio* se titulaba un artículo que publiqué en la revista "Veintiuno" 1994 (21) págs. 131–134.

131 Congreso de los Diputados. V Legislatura. Pleno. Núm. 111. Sesión núm. 110. Miércoles, 30 de noviembre de 1994, págs. 5919–5920.

Llegado el otoño de 1994, asomó ya en el horizonte el debate de los Presupuestos de 1995[132]. Dada mi dedicación preferente a la educación, estudié a fondo esas partidas, con más de una sorpresa.

En pleno programa de reforma, retóricamente pregonado, se aminoraban aspectos decisivos. Por ejemplo, las ayudas para renovación pedagógica del profesorado disminuían un treinta por ciento. Las 77 medidas cantadas por el ministerio no se acompañaban de partidas presupuestarias concretas; se irían llevando a cabo con arreglo a los fondos disponibles. Se enfatizaba sobre el papel de los directores escolares, pero —a la hora de la verdad— se preveía que asistan menos a programas de formación que el año anterior. Las anunciadas seis nuevas escuelas de idiomas por año se veían reducidas a tres. Se habían pronosticado para ellas diez mil alumnos más, pero ahora se veían reducidos a mil quinientos. En general la ratio profesor–alumno se elevaría de 85 a 104. Se insiste en la necesidad de vincular la formación del profesorado a las Universidades, reconociendo el fracaso de los autogestionarios Centros de Profesores (CEPs); pero, paradójicamente, se incrementaba el personal de estos centros; frecuentemente denunciados como vía para ofrecer emplazamiento privilegiado y liberar de carga docente a los profesores afines.

Pasé los datos a un periodista especializado, con esta nota: "para cualquier duda puedes llamarme el sábado o el domingo a Granada. Me han dado las 9.30 de la noche del jueves con el asunto. No te quejarás…".

---

132 Congreso de los Diputados. V Legislatura. Comisiones núm. 318. Educación y Cultura. Sesión núm. 29. Martes, 18 de octubre de 1994, págs. 9624–9635.

6. DURA LUCHA CON EL DERECHO ADMINISTRATIVO

Una nueva comparecencia del ministro en Comisión[133] ofreció pocas novedades. Me brindó la oportunidad de resaltarle su "durísima lucha con el derecho administrativo", que le llevaba a inventar nuevos conceptos. Para no hablar de los antiguos *cuerpos* funcionariales se recurre a la *condición* o la *categoría* de... Esto permite convertir en mérito haber sido a dedo director de un centro para lucir la categoría de inspector. A la vez, para ser director no resultaba importante el haberse ganado "la confianza de la comunidad escolar sino el que haya tenido antes la confianza del Ministerio", generando así un "clientelismo en circuito cerrado".

Un último diálogo se produjo vía pregunta oral en pleno[134], indagando el número de directores nombrados a dedo. El ministro reconoce un 53% en el curso 1991–92 y considera poco relevantes los datos posteriores; le sugerí que nos dejara a nosotros decidir si eran o no relevantes y pasé a informarle: "el 54 por ciento a dedo en el 91–92, el 67 por ciento al año siguiente y el 69 por ciento en el 93–94". Por haber sido antes director, pasan a serlo a dedo un 70%. Mientras, "sigue oponiéndose a que el profesor más votado pueda ser director si no tiene mayoría absoluta"; "se puede ser alcalde de Barcelona sin tener mayoría absoluta, pero no se puede ser director de una escuela con 200 alumnos".

Como anexo cabe aludir a una proposición no ley *de autor*; fruto del interés mostrado por el diputado socialista Palacios Alonso por los problemas bioéticos, que le llevó a animar a su grupo a plantear en Comisión[135] la presencia de tales contenidos en el proceso edu-

---

133 Congreso de los Diputados. V Legislatura. Comisiones núm. 446. Educación y Cultura. Sesión núm. 35. Martes, 7 de marzo de 1995, págs. 13633–13650.

134 Congreso de los Diputados. V Legislatura. Pleno. Núm. 150. Sesión núm. 48. Miércoles, 31 de mayo de 1995, págs. 7939–7940.

135 Congreso de los Diputados. V Legislatura. Comisiones núm. 640. Educación y Cultura. Sesión núm. 52. Miércoles, 13 de diciembre de 1995, págs. 19385–19398 y 19406.

cativo. A la proposición se presentaron, sobre todo, enmiendas de redacción; dada la escasa familiaridad del autor con la peculiar terminología consolidada en el ámbito universitario. Saldría adelante, con ningún voto en contra y una buena ración de abstenciones, al no haberse asumido muchas de las enmiendas.

Capítulo III

UNA REFORMA UNIVERSITARIA INTERMINABLE

1. JUBILACIÓN PREMATURA Y SUBIDA DE TASAS

La entrada en faena de Suárez Pertierra en su bien conocido ámbito universitario se vio precedida por el debate en Pleno[136] de una doble proposición no de ley —en paralelo, PP y CiU— reclamando un regreso a la jubilación a los 70 años, que los socialistas tras 1982 habían anticipado a los 65 de modo generalizado, quizá por presumir la existencia —en esas edades— de mentalidades en exceso conservadoras como para poder secundar el *cambio*.

El panorama era elocuente. El grupo socialista presentó una presunta enmienda de la de CIU, que más bien parecía mero plagio. Se optaba por solicitar un Real Decreto del Gobierno para solucionar la situación de los primeros afectados. A la vez que asumía la "obligación" (?) de dar en el futuro paso a una ley que solucionara drásticamente la cuestión.

Hubo un Premio Príncipe de Asturias que no había dudado en afirmar que, con tal jubilación, "la enseñanza quedaría en manos de los aprendices, que estaban intentando precisamente nutrirse de las enseñanzas de los jubilados". Gustavo Bueno dejó sentado que, para la filosofía española un "historiador futuro habrá de observar dos hemorragias en la universidad que nos ha tocado vivir: una, provocada por la guerra civil; y otra, por esta ley"; mientras, para Caro Baroja, esos "cinco años son una ocurrencia de empleadillo cagatintas; pero es que el *cagatintismo* en España domina mucho".

---

136 Congreso de los Diputados. V Legislatura. Pleno. Núm. 9. Sesión núm. 7. Martes, 14 de septiembre de 1993, págs. 227–234.

En respuestas a más de una de mis iniciativas —escritas u orales— el gobierno daba por resuelto el asunto con el nombramiento de eméritos; pero el propio gobierno me había informado de que de "los 2.181 jubilados sólo 344 tenían la condición de eméritos". El grupo popular proponía, "para toda la función pública: jubilación voluntaria a los 65 años y forzosa a los 70". Congreso y Senado habían estado ya de acuerdo en ello, pero la disolución de las Cortes lo había hecho imposible. La enmienda popular fue rechazada por una diferencia de 33 votos, mientras que el pragmatismo llevó a confluir en la seudoenmienda socialista: 288 votos.

En cuanto a la universidad, había salido ya a relucir ante el ministro —en su comentado debut en Comisión[137]— el disparate de que los profesores *asociados*, presuntos profesionales destinados a aportar su experiencia extrauniversitaria, se habían convertido sin embargo en docentes a tiempo completo, resucitando a los sufridos *penenes*. Solo preocupaba las horas de clase que estuvieran dispuestos a dar; lo de la experiencia parecía no venir a cuento.

El ministro se comprometió por lo demás a suprimir la endogamia en la promoción del profesorado, que yo había criticado. Cuando —años después— escribo estas líneas, la endogamia ha llegado a la apoteosis y el concepto de tiempo completo se consideraba compatible con exhibir tarjetas de visita que presumían de lo contrario.

Ocasión de explayarse tuvo el ministro al día siguiente, con motivo de una interpelación planteada por Izquierda Unida sobre las tasas universitarias[138]. No tenía sentido intentar trasladar a las universidades los recortes presupuestarios. "En la Universidad de Castilla–La Mancha aumentan los alumnos 38,8; los gastos de funcionamiento aumentan cero pesetas. En León aumentan los alumnos

---

137 Congreso de los Diputados. V Legislatura. Comisiones núm. 25. Educación y Cultura. Sesión núm. 3. Martes 28 de septiembre de 1993, pág. 280.

138 Congreso de los Diputados. V Legislatura. Pleno. Núm. 16. Sesión núm. 14. Miércoles, 29 de septiembre de 1993, págs. 531–536.

4,4; gastos de funcionamiento, –3,7. En la Politécnica de Madrid aumentan los alumnos 2 puntos; gastos de funcionamiento, –3,7".

Afirmé: lo que "usted no puede es aprovecharse de un mercado cautivo para poner el precio que le dé la gana dando lo mismo con menos calidad". Usted "no tiene autoridad moral ninguna para subir las tasas ni una peseta, así de claro, porque no estamos hablando de si es justo o no; estamos hablando de qué ofrece usted a cambio". "Dice usted que ha habido desviaciones de las previsiones. No, señor ministro, sea sincero; no ha habido previsiones".

Al día siguiente nuestro encuentro se repitió, por partida doble. La subida de las tasas universitarias había provocado una de las preguntas orales, con las que mi grupo parlamentario destacaba los temas del momento a los que atribuía particular relevancia. Ello había llevado también al grupo de Izquierda Unida a plantear una interpelación, en la que hube también de fijar la posición de mi grupo.

La pregunta oral —sometida al estricto control de tiempo propio de dicho trámite— inquiría qué razones justificaban los incrementos de tasas aplicados a las nuevas titulaciones universitarias. El ministro reconoció una subida del 12%, sin aclarar por qué afectaban solo a las nuevas titulaciones. De hecho, en Canarias no se aplicaba tal subida y el Rector de Valladolid la consideraba lesiva. Hube de recordarle que el propio ministerio había establecido que las nuevas titulaciones se plantearan a coste cero. Todo ello sin garantía alguna de calidad, ya que seguía generalizada la inexistencia de módulos objetivos de capacidad de los centros a la hora de acoger alumnos. Todo parecía indicar que se trataba de una mera excusa recaudatoria[139].

La intervención posterior, en el trámite de la interpelación, me dio ocasión a rechazar la imposición a un mercado cautivo de subidas superiores al índice de precios, que no estaban justificadas por

---

139 Congreso de los Diputados. V Legislatura. Pleno. Sesión núm. 14. Miércoles 29 de septiembre de 1993, págs. 489–490.

un incremento de calidad; cuando —además— se presupuestaban 41.720 becas menos que el año anterior[140].

A la habitual comparecencia en Comisión[141], previa a la deliberación de los presupuestos, acudió el Secretario de Estado Elías Fereres. Se le hizo ver que se detecta en el proyecto un "retroceso continuo en un momento en el que aumenta de manera notable el número de alumnos". "Baleares tiene un incremento de 8 puntos en número de alumnos y ustedes le van a subir un 1,9 los gastos de funcionamiento; Murcia sube 5,1 y ustedes le van a subir 0,04 —es un decir lo de subir; con un microscopio puede que lo vean–; Salamanca sube 4,03 puntos en número de alumnos y ustedes le van subir 0,17; a Valladolid, que sube 5,4, ustedes no le suben, le bajan –0,2. Y así sucesivamente". "Uno se pregunta si ustedes están creando plazas gratis continuamente y, eso sí, las cobran como si las crearan de verdad; les dicen a los alumnos que tienen que pagar más, aunque no se sabe qué les dan ustedes".

---

140 Ibidem, págs. 535–356.

141 Congreso de los Diputados. V Legislatura. Comisiones núm. 47. Educación y Cultura. Sesión núm. 4. Martes, 19 de octubre de 1993, págs. 1399–1328.

2. UNIVERSIDADES MASIFICADAS, PROFESORADO ENDOGÁMICO

Pocos plenos después fue el grupo popular el que dedicó a un tema educacional la interpelación de su cupo; en concreto, para ocuparse de la masificación de las universidades[142]. El ministro había conseguido resucitar una estampa desconocida desde la marcha de Maravall: llenar las calles de estudiantes manifestándose[143]. Para resolverla, optó por lo que le habíamos sugerido meses antes: dedicar a las universidades lo recaudado por el incremento de las tasas.

La ocasión era, en todo caso, oportuna para reflexionar sobre los problemas heredados de la LRU (Ley de Reforma Universitaria), comenzando por respetar la objetiva "capacidad de los centros" para acoger alumnos —inútilmente recogida en el texto legal— evitando así su masificación. Le recordé que su director general —el profesor De Toledo— defendía que los repetidores deberían pagar más, porque son los que más usan la universidad; lo que invita a pensar que los que van a clase, y no otros, son luego repetidores.

No faltó la pregunta del millón: "Quién le obliga a mantener el actual sistema de endogamia en la selección del profesorado?". La respuesta podría aportarla Rubalcaba, que intentó —sin éxito— reformar la LRU para solucionar el problema. Como consecuencia, los profesores universitarios son los únicos funcionarios que no se pueden trasladar sin hacer una nueva oposición. Encima, durante nueve años, se los sometió a una jubilación anticipada. Al no contar con Rubalcaba, decidí yo ofrecerle la respuesta. En la reciente campaña electoral, en la Universidad de Sevilla, Alfonso Lazo —porta-

---

142 Congreso de los Diputados. V Legislatura. Pleno. Núm. 35. Sesión núm. 33. Miércoles 1 de diciembre de 1993, págs. 1620–1628.

143 Tal situación volvió a producirse en la misma legislatura, dando ocasión a una pregunta oral en pleno, confiando el ministro en superarla, tras un tardío diálogo con los amotinados – Congreso de los Diputados. V Legislatura. Pleno. Núm. 127. Sesión núm. 125. Miércoles 22 de febrero de 1995, págs. 6753–6754.

voz socialista en el evento— reconoció que se había hablado con un grupo minoritario de la cámara —no dijo cuál...— y no se había encontrado la receptividad necesaria para generar un consenso. Era fácil imaginar que se trataba de CiU, nada amigo de los cuerpos estatales y encantado con una endogamia autonómica. Ofrecí al ministro: "nosotros consensuamos gratis".

Aún tuve tiempo de criticar el monroísmo universitario, derivado de la parquedad del llamado *distrito único*, favorecedor de la movilidad estudiantil. A la universidad de Zaragoza se le confería solo un 5% de plazas (723) a esos efectos; pese a ello —como solo pueden ser 10 por centro— 644 alumnos, que habían querido ir a Zaragoza, no pudieron. Se acababa imponiendo en la universidad una estricta zonificación, que el Tribunal Constitucional había rechazado para la enseñanza primaria y secundaria.

El ministro utilizó reiteradamente al Consejo de Universidades como burladero, como si de este dependiera; siendo realmente él su presidente. Salieron a relucir sus peculiares *actas clandestinas*, gracias a las cuales no se sabe ni lo que se dice ni quién lo dice. Igualmente, los disparatados profesores asociados a tiempo completo resucitaban a los antiguos penenes, de los que yo había escrito —casi un decenio antes— que dedicaban a dar clase el tiempo que deberían haber empleado en aprender la asignatura[144].

En cuanto a los órganos de gobierno universitario llamé su atención sobre la proliferación de secretariados y vicesecretariados, para comprar votos con los que poder sobrevivir en los altos cargos. El ministro aseguró que "todo esto se revisaba en el proyecto de adaptación de la Ley de Reforma Universitaria que decayó", añadiendo: "los males de la LRU los voy a solucionar"; hasta hoy... En mis años de docente había en mi facultad dos vicedecanos, hoy hay diez...

---

144 *Qué hacemos con la Universidad* Madrid, Instituto de Estudios Económicos, 1985, págs. 129 y ss.

Me alegró, por cierto, que el ministro se diera por enterado de que el PP proponía —desde la oposición—, para acabar con la endogamia en el acceso al profesorado, un sistema de *habilitación* (a la alemana), con tribunales de siete miembros designados por sorteo —y no con dos de cinco designados a dedo por los amigos de un candidato local—, con la posibilidad añadida de aprobar a más candidatos que vacantes existentes, para que las universidades pudieran elegir. Se trataba de una idea personal que había madurado con los profesores Vicente Pedraza Muriel, de la Facultad de Medicina de Granada, y Luis García Moreno, de la de Historia de Alcalá de Henares, miembros ambos del Consejo de Universidades, con el respaldo del administrativista, catedrático de la Universidad de Valladolid, Luis Martínez López Muñiz.

3. ¿CUÁNTOS ALUMNOS ESTUDIAN LO QUE DESEAN?

La moción del grupo popular, consecuencia de una interpelación sobre medidas de política general para poner fin a la masificación de los centros y atajar los problemas que sufre el profesorado universitario, así como para facilitar que los estudiantes puedan cursar los estudios de su elección, permitió calibrar en el Pleno[145] las posturas de los grupos parlamentarios al respecto.

La masificación de las universidades venía refrendada por el propio Defensor del Pueblo, "en su último informe, acusando recibo de un gran número de quejas de alumnos que no encuentran acomodo en los centros universitarios". Mientras que el ministro afirmaba estar dialogando sobre la situación con los rectores en el Consejo de Universidades. Varios de ellos me aseguraban que en el Pleno del Consejo no se ha planteado en ningún momento, desde la pasada disolución de las Cortes, esa reforma.

El contenido de la moción presentada se fijaba en cinco puntos. En el primero planteamos algo tan simple como que se cumpla la ley, que —desde hace diez años, ordena fijar unos módulos objetivos de capacidad de los centros. El segundo aspiraba a corregir problemas añadidos por la LRU que la Universidad no sufría con anterioridad a ese texto legislativo, como la famosa endogamia en la selección del profesorado y como el "renacimiento de la figura de los *penenes*", mediante otra tan desacertada "como los asociados a tiempo completo".

En tercer lugar, la moción "recoge una fórmula para facilitar el acceso de los alumnos a los estudios que desean en primera opción". "En el distrito universitario de Madrid, por ejemplo, alumnos que querían estudiar telecomunicaciones acaban estudiando ingenierías de minas, desplazando a los que querían estudiar ingenierías de mi-

145 Congreso de los Diputados. V Legislatura. Pleno. Núm. 37. Sesión núm. 35. Martes, 14 de diciembre de 1993, págs. 1699–1707.

nas, que acaban estudiando químicas, desplazando a los que querían estudiar químicas. Nos parece que ésa es una ceremonia que conviene terminar cuanto antes". Se trataría de multiplicar por diez el distrito compartido, con la posibilidad simplemente de que los centros puedan utilizar ese 50 por ciento de las plazas realizando un examen adicional, lo cual ya ocurre en bastantes centros de otras universidades. Esto permitiría de manera fácil que el 75 por ciento de las plazas sean ocupadas por alumnos que están estudiando lo que desean en primera opción".

"El punto cuatro propone la realización de una evaluación de las universidades". Se pretende con ello "acabar con la peor de las desigualdades, que es la que se camufla debajo de una igualdad meramente formal. Hoy día formalmente todas las universidades españolas son iguales, facilitan los mismos títulos y el ciudadano no cuenta con ninguna medida que le permita identificar la valía" de cada una. "Queremos que sepa el ciudadano a dónde va y qué profesorado va a encontrar, si tiene sitio o no para sentarse, en qué condiciones va a recibir la enseñanza, y así podrá elegir". Añadiendo a ello "el compromiso por parte del Gobierno de que no se subirán las tasas universitarias en aquellos centros que no cumplan esos requisitos mínimos".

La respuesta fue variopinta. Mientras Coalición Canaria asumía los dos primeros y planteaba enmienda al resto, sugiriendo un libro blanco a cargo del Consejo de Universidades, Izquierda Unida enmendaba los dos primeros oponiéndose a toda selectividad y aceptaba el resto. CiU, por su parte, prefería esperar a que el gobierno cambiara la ley. El grupo socialista daba por cumplido en el curso 1994–195 el punto segundo, mientras la multiplicación del distrito compartido le parecía "dirigido a la galería universitaria, pero que, desde luego, no tiene ningún efecto sobre la realidad".

Al final los dos primeros puntos fueron aprobados por unanimidad, el tercero cayó por 32 votos, con 4 abstenciones, y los dos últimos por 23, con 13 abstenciones.

4. LA VOZ DE LOS RECTORES

Ya en legislaturas anteriores había sido frecuente llamar a comparecer en Comisión a rectores de universidad, con especiade protagonismo del de la UNED, al ser la única de ámbito nacional.

La presencia del Rector Villapalos, de la Complutense, fue reclamada por los grupos de IU, con ocasión de determinadas denuncias, y por el del PP, con menú más variado[146]; no suscitó entusiasmo socialista, que acabó cediendo, a condición de que las preguntas se ciñeran a sus experiencias en dicho centro (?).

El rector aportó abundantes datos sobre informaciones de prensa relativas a posibles recomendaciones con motivo del examen de selectividad, sobre las que las pesquisas habían aclarado más que el propio denunciante, algunas de cuyas afirmaciones, a su juicio, "no digo siquiera que fueran falsas pero que, en cualquier caso, se encuentran desprovistas de realidad".

Pasando a otras cuestiones, defendió que "hubiera una prueba de selectividad como homologación general, para acceder a los estudios universitarios —igual que, en definitiva, eran las reválidas de cuarto, de sexto, o el preuniversitario"— para acceder a cualquier universidad del Estado. Sobre la posibilidad que el alumno logre acceder al centro de su primera opción, comentó que solo "el 69 por ciento de los que están en las carreras de humanidades quiere estudiar humanidades".

Le pregunté si "originaría enormes perturbaciones que se reservara el 50 por ciento de las plazas —no el 5 por ciento, sino diez veces más— al distrito compartido, vinculándolo a un examen en los centros". Se declaró partidario "de un distrito compartido al 100 por cien para todos los estudiantes, de tal manera que todas las uni-

---

146 Congreso de los Diputados. V Legislatura. Comisiones núm. 59. Educación y Cultura. Sesión núm. 5. Martes, 2 de noviembre de 1993, págs. 1691–1694 y 1702–1717.

versidades públicas se convirtieran en distrito único"; "acompañada quizá de un examen, puesto que las pruebas no son homogéneas".

Respecto a la ausencia de los módulos objetivos de capacidad de los centros previstos en la ley, aclaró que la "oferta de la Universidad es siempre sensiblemente menor, a veces un 20 o un 25 por ciento, a la que el Ministerio, después del informe del Consejo, decide finalmente". Calculó que "el costo que por estudiante le resulta a la Universidad Complutense es de 175.000 pesetas y en algunas universidades llega a 500.000 o a 800.000 pesetas".

No consideró al Consejo de Universidades "santo de su devoción". "Un rector de una universidad catalana, conocido por su pragmatismo y larga duración en el mandato, siempre dice con mucha gracia que el Consejo de Universidades sirve para que lo que él, antes, con el Director General de Enseñanza Superior, tardaba media hora en enterarse de si podía hacerse o no; ahora tarda ocho meses y al final no sabe muy bien si puede o no puede hacerlo".

Se reanudaron más tarde las comparecencias de Rectores, con los de Sevilla y Valladolid en idéntica sesión. En el primer caso[147] cobró protagonismo la experiencia sobre el distrito único, dado que había sido asumido al 100% por la Junta de Andalucía, para aprovechar así todas las plazas y permitir cierta competencia entre universidades, aunque para hacerlo eficaz exigiría becas de movilidad.

El rector sevillano —profesor Medina Precioso— hacía notar que "hay más alumnos que quieren estudiar en la universidad que plazas que podamos ofrecer y, como consecuencia de ello, hacemos siempre un esfuerzo que va más allá de lo que la ley nos exige y procuramos dotar plazas adicionales". Se pone para ello en marcha un sistema de *enseñanza libre asistida*, con que atender a los que no encuentran sitio.

---

[147] Congreso de los Diputados. V Legislatura. Comisiones núm. 115. Educación y Cultura. Sesión núm. 9. Martes, 22 de febrero de 1994, págs. 3674–3689.

El Rector anterior, Javier Pérez Royo —en comparecencia similar— lo había planteado como un modo de salir del paso, mientras que ahora —para bien o para mal— la masificación le parece puede darse por asimilada. Porque la masificación no es fruto de "que haya muchos estudiantes; masificación es que haya muchos estudiantes y poco sitio". El nuevo rector lo defiende, presentándolo como "una política distinta de las otras universidades y que podríamos calificar de extrema generosidad con la sociedad", al fijar "límites de acceso que en algunos casos exceden lo que sería una evaluación totalmente objetiva".

En realidad, la selectividad actual "no sirve para excluir estudiantes de baja calidad de la universidad", sino para que "el alumno tenga una nota media que le permita elegir centro"; insistiendo el Rector en la necesidad —con el tiempo ya hoy consumada— de acabar con la convocatoria de septiembre.

En cuanto a la capacidad de optar por una carrera concreta, "entregamos a los alumnos un impreso, que llamamos de preinscripción a la universidad, en el que le damos a elegir entre doce posibilidades y el alumno debe ir marcando cuál de esas posibilidades es la primera, cuál es la segunda, y así hasta la duodécima". La "media general de alumnos que estudian su primera opción" es el 77 %. El área biosanitaria presenta una oferta limitada, al tener que apoyarse en el sistema sanitario, provocando que los de primera opción insatisfechos se desvíen hacia Derecho o Ciencias de la Información. Se hablaba ya de una posible segunda Universidad en Sevilla —la actual Pablo de Olavide— dado su fuerte atractivo para otras zonas andaluzas. Habían "quedado excluidos de la universidad hispalense 4.335 alumnos que pretendían estudiar en ella".

La financiación de las universidades, en relación al producto interior bruto, es del 0,8 % en el último año, mientras que la media europea puede estar en torno al 1,7 y algunos países dedican el 2,2%. El rector optó por una ley de mecenazgo, ya que el "Consejo Social de Sevilla, como todos los consejos sociales que yo conozco, no está aportando dinero a las universidades".

Menos prolijo se mostró el Rector de la Universidad de Valladolid, el profesor Tejerina García[148]. La peculiaridad de su situación era que la universidad, aún no transferida, dependía a todos los efectos del ministerio. Experimentaba un "incremento del número de alumnos, aproximadamente a 2.500 alumnos por año. Ello representa una tasa de crecimiento del alumnado en nuestra universidad doble de la tasa media del crecimiento del alumnado en las universidades de territorio MEC" (dependiente del ministerio). "En 1993 la subvención media por alumno en la Universidad de Valladolid es inferior en 34.500 pesetas por alumno". Si se compara con las "universidades comprendidas entre 25.000 y 50.000 alumnos, entonces la subvención media es inferior en 46.100 pesetas por alumno".

No dudaba en mostrarse partidario al distrito único; es más, aspiraría a un distrito único europeo e, incluso, a que los alumnos "puedan utilizar su beca en cualquier universidad europea"; que cada uno disponga de una "tarjeta de crédito con un gasto limitado por el importe de la beca y entonces moverse libre y responsablemente por donde le corresponda". Apunta que una "revisión de la política de tasas, la revisión de la política de becas, incluso la concesión de préstamos a interés cero, avalados por el Estado, a fin de que el alumno lo reembolse nuevamente cuando comience su actividad profesional".

---

148 Congreso de los Diputados. V Legislatura. Comisiones núm. 115. Educación y Cultura. Sesión núm. 9. Martes, 22 de febrero de 1994, págs. 3689–3698.

5. UNA LEY UNIVERSITARIA DIFÍCIL DE ACTUALIZAR

Suárez Pertierra volvió a ocuparse de la Universidad en una comparecencia posterior, dedicada a informar sobre la fecha en que enviaría a la cámara la tan esperada reforma de la LRU[149], que había anunciado siete meses antes. Coleaba aún el problema de las tasas, lo que me llevó a recordar la necesidad de "supeditar cualquier subida de tasas al cumplimiento por el Gobierno de unas exigencias previas sobre inversiones". Surgió también el problema del esperado *distrito único*, porque con el Erasmus y programas similares, el "estudiante español va a poder ir a Europa y a Iberoamérica, pero no se va a poder trasladar a la comunidad autónoma de al lado"; condición muchas veces para poder "cursar los estudios que han elegido como primera opción".

No faltó protagonismo a la lucha contra la endogamia universitaria y la necesidad de aumentar los miembros de los tribunales elegidos por sorteo, así como determinar las pruebas garantizando "algo muy simple: que los profesores sean sometidos al control a que ellos someten a sus alumnos; al conocimiento del programa" de la asignatura. Igualmente le animé a explicar —respecto a los famosos sexenios de investigación— qué "razones concretas le llevan a ocultar, tanto a usted como a sus antecesores —hace tres años que lo vengo pidiendo—, los resultados de esas evaluaciones y qué comisiones han sido las que han evaluado".

En cuanto a los órganos de gobierno, recordé que "autonomía implica responsabilidad y el sistema de gobierno que ustedes han implantado no permite, favorece ni facilita esa responsabilidad", ya que "los rectores y los decanos se ven secuestrados por órganos colectivos anónimos que no asumen responsabilidad alguna": resultaría, sin duda, más positiva la elección de los car-

---

[149] Congreso de los Diputados. V Legislatura. Comisiones núm. 175. Educación y Cultura. Sesión núm. 14. Jueves, 21 de abril de 1994, págs. 5513–5522.

gos unipersonales "por sufragio universal ponderado con arreglo a la representación de los diversos sectores"; cosa que hoy va ocurriendo. En relación a los Consejos Sociales le propuse que "que cada universidad, en ejercicio de su autonomía, diseñe en sus estatutos el órgano que estime adecuado para enlazar con la sociedad".

El ministro volvió a justificar en el proceso de transferencias de las universidades a las autonomías el retraso de la nueva LRU. Expuso su decisión de "proponer al Gobierno un proyecto de ley que, enlazando directamente con el proyecto decaído el año pasado, intente regular de una manera global, completa, con rigor y con un horizonte de mayor calidad la carrera del profesorado universitario". Prometió, respecto a la endogamia, "aumentar el número de vocales por sorteo" en los tribunales. Sin razonar por qué no aceptaba el sistema de *habilitación* propuesto por mi grupo, aludió a garantizar "con carácter general, una serie de controles, digamos, de todo el ámbito territorial del Estado". Insistió en que "el proyecto lo traeré muy pronto", pero en él no se va a recoger "más que la regulación de las figuras del profesorado".

Insistí en que "es determinado grupo parlamentario o fuerza política la que impide que usted aumente los vocales por sorteo; grupo que, casualmente, está ausente de esta cámara, con lo cual usted acaba consensuando las leyes con señores que rehúyen el parlamento". "Claramente díganos con quién habla, de qué habla y quién le impide hacer lo que usted quiere y asuma su responsabilidad". En cuanto a la pretensión de que la existencia o no de una prueba sobre el programa de la asignatura lo decidan las universidades; si "lo que va a evaluar eso es el mérito y la capacidad para ser catedrático o titular. ¿Cómo va a depender eso de las universidades, si es un cuerpo nacional?". "¿Por qué quiere usted que no se sepa quién ha evaluado? Eso de los tribunales secretos, ¿a qué tipo de organización pertenece? ¿Estamos en la Inquisición?".

Habría más tarde nueva pregunta oral al ministro en pleno[150] sobre un aspecto puntual: problemas con la convalidación de títulos en el extranjero; en concreto, en algún *Land* germano. El ministro lo atribuyó a una deficiente interpretación de una directiva europea y anunció un posible recurso al Tribunal de Justicia de la Unión.

[150] Congreso de los Diputados. V Legislatura. Pleno. Núm. 79. Sesión núm. 78. Miércoles, 15 de junio de 1994, págs. 3990–3991.

6. MÉRITO Y CAPACIDAD O PRESCRIPCIÓN ADQUISITIVA

Una serie de preguntas orales en Comisión al Secretario de Estado de Universidades, Elías Fereres, actualizó la situación de problemas pendientes. Por ejemplo, número de firmantes registrados en los concursos para provisión de plazas de los cuerpos de docentes universitarios en los últimos cinco años[151]. El compareciente no tardó en sugerir que el sentido de las preguntas tenía que ver con el proyecto de nueva LRU en preparación, que exigía contar con un sexenio de investigación para convertirse en Profesor Titular de Universidad y dos para aspirar a cátedra; en consecuencia, los profesores no podrán siquiera trasladarse de universidad sin hacer una nueva oposición. En respuesta a esta primera pregunta, señaló que el número de firmantes oscilaba entre dos y tres por plaza.

La pregunta siguiente se interesaba por titulares de universidad y catedráticos de escuelas universitarias que han recibido evaluación positiva de un sexenio de su actividad científica investigadora[152]. Un 62% (3.290) de los catedráticos tienen reconocidos dos o más sexenios de investigación. De los Titulares de Universidad se han sometido a evaluación solo en torno a un 70%; tienen un tramo un 42% (4.400) y 2800, al tener dos, podrían presentarse a catedrático. En consecuencia, un tercio de los catedráticos no podrían cambiar de universidad, al no contar con dos sexenios; así como el 80% de los Titulares no pueden presentarse a cátedra por faltarle uno. Lo peor es que todo dependía de una comisión de componentes por entonces desconocidos y no necesariamente especialistas.

A esto último Fereres no le da importancia, porque "la labor de investigación de un profesor universitario, de un investigador, cuanto más alejada sea la opinión que se formule, más garantías da a la

---

151 Congreso de los Diputados. V Legislatura. Comisiones núm. 255. Educación y Cultura. Sesión núm. 24. Martes, 28 de junio de 1994, págs. 7711–7712.

152 *Ibidem*, págs. 7712–7715.

comunidad científica de que esa opinión no tiene sesgos derivados del contacto personal que hay entre los especialistas de un ámbito". Un "comité formado por especialistas de distintas áreas del derecho tiene capacidad para formular un juicio sobre la labor investigadora de cualquier investigador en derecho". Daría, a su juicio, lo mismo, que profesores filosofía del derecho juzguen a los de derecho financiero, o viceversa; lo que —en labios del profesor Fereres, que en derecho no es una autoridad— tenía sin duda particular mérito. En "ningún ámbito de evaluación universitaria se publican los nombres de los evaluadores, para evitar las presiones"...

La siguiente pregunta oral[153] permitió continuar el debate suscitado con anterioridad. "Si no he oído mal, según usted, cuanto más alejado esté una persona de un área de conocimiento, mejor para evaluar. Por ejemplo, para evaluarle a usted —si me permite que personalice el ejemplo—, que se dedica a cuestiones que tienen que ver con la hidrogeología, si no recuerdo mal, nadie mejor que yo, que me dedico a la filosofía del derecho"; tampoco me considero en condiciones —quizá porque uno es muy modesto— de juzgar, con un mínimo rigor, a un experto en derecho del trabajo". Al parecer "también les pasa a los propios miembros de los comités, prueba de ello es que está previsto que la evaluación se realice sin leer las publicaciones. Esto se ha dicho públicamente por el señor Solana en el Pleno de esta casa". Ni siquiera se las requieren a los solicitantes; "se manda una relación y nada más". Para evitar alguna posible picaresca, "se pide la primera y la última página de los trabajos", para asegurarse de que, al menos, existen.

Las dos preguntas siguientes e hicieron de modo simultáneo, para completar el tema[154] y hacían referencia a la edad con que los profesores titulares y de los catedráticos de universidad venían accediendo al cuerpo. Mi preocupación era que, al exigir sexenios para presentarse a oposiciones, "se puedan estar estableciendo unos topes mínimos

---

153 *Ibidem*, págs. 7715–7716.
154 Ibidem, págs. 7716–7718.

de edad para poder ser profesor titular o para poder ser catedrático de universidad, al margen de cualquier consideración de mérito y capacidad". En "cualquier profesión una precocidad contrastada posteriormente por una continuidad en la tarea es, sin duda ninguna, la mejor noticia del mundo". Con tal sistema se puede acabar consiguiendo que los mejores alumnos prefieran acabar accediendo a profesiones con acceso libre de trabas y con mejor retribución. Por lo demás, "esta disposición parece olvidar otra que ustedes mismos han dado según la cual, cuando alguien no está en la universidad a tiempo completo, sus años se contabilizan por la mitad". Esto quiere decir que ese profesor "necesitará veinticuatro años de actividad investigadora positiva para poderse presentar a catedrático".

El profesor Fereres consideraba que en la propuesta del gobierno existe la disposición para que se exima a determinadas "personas que tengan méritos excepcionales y puedan aportar requisitos análogos". Sugerí que la "discrecionalidad en política es algo que, lo digo de manera rotunda, tiene que ir siempre unido, primero, a que haya la menos posible, pero, cuando la haya, a publicidad"; "discrecionalidad y clandestinidad a la vez es un caldo de cultivo que no deseo para la universidad española y se está dando en el Consejo [CSIC], como muy bien sabe". Me permití sugerir a mi interlocutor que aumentaran a cuatro el número de los miembros de los tribunales universitarios seleccionados por sorteo y que no recurrieran a excepciones que acabarían generando sombras de sospecha.

La pregunta final[155] versaba sobre si algunos investigadores podrían, a los efectos previstos en el proyecto de ley de modificación de la ley de reforma universitaria, añadirse a los miembros de cuerpos de funcionarios docentes universitarios. Era obvia la referencia a investigadores del CSIC, que podrían pasar a formar parte de tribunales de plazas universitarias; así como tal reconocimiento a profesores de secundaria que han desarrollado docencia en universidades.

155 Ibidem, págs. 7719–7720.

7. NUEVO INTENTO DE ACTUALIZACIÓN DE LA LEY

La actualización de la LRU, anunciada por Suárez Pertierra, acabó pasando a la historia. "Al cabo de esperar nueve meses, el ministerio ha parido un ratón y, además, luego ha tenido que partirlo en dos. Estamos prácticamente en un laboratorio más que. en un parlamento"[156]. Quedó de relieve que su prometido diálogo con los grupos parlamentarios abortó, al fracasar su posible acuerdo con CiU. Había quedado pendiente con particular urgencia el compromiso, frustrado por la disolución de las Cortes, de eliminar la inclusión del profesorado universitario en la jubilación a los 65 años, establecida para todos los funcionarios. Esto obligaba a prescindir de lo más granado del mundo académico, malogrando una notable inversión. De ahí que el gobierno hubiera optado por abordar esa cuestión y olvidarse del resto.

Por si fuera poco, los servicios de la cámara tuvieron que dar título al proyecto y armonizar su articulado, lo que explica que las enmiendas socialistas no atinaran en su numeración. "Usted no ha mandado un proyecto; usted ha dejado aquí tirado tres artículos y han sido los profesionales de esta casa los que han tenido que recomponer el proyecto dándole hasta título". Esto "no es el tenderete de un remendón legislativo. Esta es una casa seria".

No faltó quien, paradójicamente, calificara de "inmotivado" al proyecto, porque —puesto a faltarle— le faltaba hasta la exposición de motivos. Afirmó: "nuestro grupo ha presentado una exposición de motivos para cubrir sus vergüenzas jurídicas y que este proyecto vaya por la vida un poco vestidito"

El grupo de Izquierda Unida presentó una enmienda a la totalidad, por no compartir la excepción a los docentes de la jubilación

---

[156] Congreso de los Diputados. V Legislatura. Pleno. Núm. 87. Sesión núm. 85. Jueves 30 de junio de 1994, págs. 4449–4461.

anticipada. Se discutió también el adecuado tratamiento que permitiera repescar a los ya tempranamente jubilados, con la sugerencia adicional de que la jubilación del profesorado no coincidiera con su cumpleaños sino con la finalización del curso académico; como ha acabado ocurriendo. El grupo socialista detectó aviesas intenciones. "Hay que volver a los años en que empezaron a jubilarse los profesores a los 65, castigar al Gobierno por ese hecho y, además, indemnizar a los profesores jubilados a los 65 años"; ya que el grupo popular proponía que, puesto que se proponía tratarlos como eméritos, había que evitar que coparan los fondos de las universidades al respecto, sino que debería pagarles el ministerio. Las transaccionales socialistas con Coalición Canaria y CiU ayudaron a salir adelante al texto.

La real actualización de la LRU se debatió, al fin, en la convocatoria de septiembre, recibida con doble enmienda a la totalidad con texto alternativo, de los grupos Popular e Izquierda Unida[157]. En realidad, se planteaba sólo reformar el título V de la LRU. La intervención del portavoz de CiU señaló elocuentemente las sugerencias que habían impedido el acuerdo. Por lo demás, el debate también demostró el eco ya alcanzado por la propuesta del grupo popular para sustituir por unas pruebas de *habilitación* la acreditación por la ANECA y eliminar el condicionamiento de los sexenios de investigación para poder optar a ella y, por tanto, ingresar en los cuerpos docentes universitarios; sin perjuicio de mantener su función para evaluar el mérito y la capacidad.

Izquierda Unida justificó su texto alternativo porque el presentado, "no se ha realizado ni en tiempo ni en forma acorde con las afirmaciones del señor ministro. No ha habido debate, no hay acuerdo, los rectores de las universidades están en su mayoría en contra; una gran parte de las fuerzas políticas y sociales también lo estamos. Yo preguntaría al señor ministro, ¿quién está a favor?". En efecto,

---

157 Congreso de los Diputados. V Legislatura. Pleno. Núm. 89. Sesión núm. 88. Jueves 15 de septiembre de 1994, págs. 4611–4628.

incluso FETE–UGT dijo que "el tiempo transcurrido entre la toma de posesión del actual Ministro y la remisión del proyecto hace incomprensible que no se incluyan modificaciones, más allá del título V, en temas esenciales".

El grupo popular denunció "indecisiones, dudas y oscilaciones; que ustedes digan, primero, que no hay endogamia en la selección del profesorado; segundo, cuando hacen por fin un estudio a petición del grupo popular, constatan que la hay; tercero, traen un proyecto que se queda fuera por una semana, con sus votos en el Congreso y en el Senado, por el cual nos dicen, se dijo aquí: "Indudablemente, la forma de acceso al profesorado requiere algunas modificaciones. Ya se han hecho. Ya no son tres los miembros de la comisión elegidos por sorteo, son cuatro. Y ahora ustedes nos traen un proyecto en el que vuelven a ser tres". "La contrapartida a la endogamia —lo dijeron ustedes— era pasar de dos miembros nombrados por el candidato local a uno solo".

Los rectores catalanes dicen que ustedes proponen "una habilitación encubierta, y me parece una definición perfecta. Es curioso que ustedes rechacen la habilitación pública, la habilitación por una comisión nombrada por sorteo los cinco miembros, la habilitación fundada en un concurso público, con pruebas determinadas, y pretendan introducir una habilitación por una comisión que nadie sabe quién la forma" ni por qué. "Unos señores que nadie sabe quiénes son, nombrados a dedo por usted, van a decidir quién se puede presentar a oposiciones en la Universidad". Lo que nadie "imaginaba en el Consejo de Universidades es que usted iba a hacer eso sin concurso y con unas comisiones que no leen las publicaciones; y no las leen porque no las pueden leer, ya que no las reciben"; la consecuencia es que esos "señores que nadie sabe quiénes son, nombrados por usted a dedo, no especialistas, porque no lo son —son de unas áreas enormemente amplias, pero que no se vinculan a las áreas del conocimiento—, puedan impedir que los auténticos especialistas lean las publicaciones de un señor que quiere ser candidato". Asunto que —cuando esto escribo— no ha cambiado…

La habilitación que proponíamos "garantiza, por un lado, movilidad sin trabas a los que ya son profesores, evitando la situación actual de cantonalismo en los profesores, y a la vez robustece la autonomía universitaria. Cada universidad elegirá a quien le dé la gana de los ya habilitados". Al portavoz socialista le hice notar: "Ustedes al final las pruebas las mantienen, ustedes al final han metido la *encerrona*, la han metido, pero lo han hecho si quiere la Universidad convocante. Lo que faltaba... Si eso significa que va a tener que definirse la Universidad sobre si quiere o no, siempre va a decir que no. Con los órganos de gobierno que ustedes han puesto, si no los cambian, dirá que no, porque están controlados por los aspirantes". "Esa prueba tiene que existir siempre y no cuando quiera el candidato local".

La intervención del portavoz de CiU desveló, en efecto, sus motivos de discrepancia, que habían frenado una actualización definitiva de la ley. Rechazaban, por "rígido y restringido", que los sexenios condicionen el acceso a plaza de profesorado, "durante un período dilatado de tiempo". "Nos tememos, señorías, que sólo mantendrán su decisión de seguir en la universidad aquellos que no hayan encontrado una oportunidad mejor al margen de la propia universidad".

Consideraban atentatorio "igualmente a la autonomía de las universidades al enajenar, en la Comisión Nacional Evaluadora de la Actividad Investigadora, la auténtica selección del profesorado propio de cada una de las universidades", dado que le texto "no prevé el desarrollo de las figuras de contratados, tan razonablemente positivas"; todo ello, dada su conocida alergia a la existencia de cuerpos universitarios funcionariales.

La reiterada alusión a un posible sistema de *habilitación* me llenó de satisfacción, al tratarse de una idea personal. Se trataba de tribunales, que llegarían ser de siete miembros, todos del área de conocimiento correspondiente a la plaza y elegidos por sorteo, reunidos en la Universidad del más antiguo, para otorgar un número de plazas superior al de las vacantes existentes, que juzgarían tres pruebas: curriculum personal y concepto de la asignatura, una lección del programa presentado señalada por el tribunal y un caso práctico o comentario de texto. Con el tiempo, abandonada ya mi actividad parlamentaria, tuve —por ser el más antiguo— la satisfacción de presidir en Granada uno de estos concursos, comprobando sus ventajas respecto a la situación actual.

La enmienda a la totalidad de Izquierda Unida solo logró 14 votos a favor, mientras que la del grupo popular fue rechazada por una diferencia de 30 votos contrarios y 15 abstenciones.

8. DISCUTIDA FUNCIÓN CONSEJO DE UNIVERSIDADES

Al siguiente alto cargo al que llamó a comparecer en Comisión[158] el grupo parlamentario popular fue al Secretario General del Consejo de Universidades, Miguel Ángel Quintanilla; sobre el cumplimiento de los objetivos de dicha institución y su reflejo en las actas, el respeto a la autonomía de las universidades, módulos objetivos de capacidad de los centros y nuevos planes de estudios, así como participación de investigadores del Consejo Superior de Investigaciones Científicas en comisiones para adjudicación de plazas de universidad.

El resultado fue bastante previsible. Las actas recogen quién plantea una cuestión y qué alto cargo la contesta, sin que haya modo de saber en qué queda el asunto. Los módulos de capacidad de los centros se consideran una exigencia legal prescindible y se colabora con los rectores que no consideran una tragedia que haya más alumnos matriculados que espacio disponible; el alumno absentista es un regalo. Los profesores —como el propio compareciente— reclamados para figurar *a dedo* en las comisiones para plazas en el Consejo, no ven inconveniente en que los investigadores del CSIC participen en los *sorteos* para juzgar plazas universitarias.

Las comparecencias preparatorias del debate de los presupuestos de 1995[159] fueron en este caso atendidas por el sucesor de Fereres, como Secretario de Estado de Universidades: Emilio Octavio de Toledo y Ubieto. La propia memoria presentada al efecto señalaba la masificación universitaria como problema fundamental. Fue fácil argumentar que, dado que consideraban "en curso de ejecución 35.440 plazas de ejercicios anteriores" y teniendo "en

158 Congreso de los Diputados. V Legislatura. Comisiones núm. 244. Educación y Cultura. Sesión núm. 23. Martes, 21 de junio de 1994, págs. 7373–7385.

159 Congreso de los Diputados. V Legislatura. Comisiones núm. 238. Educación y Cultura. Sesión núm. 29. Martes, 28 de octubre de 1994, págs. 2646–2655.

cuenta que en los dos ejercicios anteriores se habían presupuestado 42.000, quiere decir que están sin acabar casi todas". A la vez, "crecen más los alumnos que los profesores, ya que para 1995 se prevén 58.000 alumnos más y, sin embargo, los profesores disminuyen" respecto a los presupuestados en 1994. Son "58.000 alumnos más, mientras que hay 14.810 nuevas plazas, lo que, para cualquiera que sepa restar, quiere decir que 44.000 alumnos van a flotar en el espacio".

Por lo demás, el propio Secretario de Estado reconoce que "se está realizando la determinación de los módulos objetivos de capacidad, que ha reclamado tantas veces el señor Ollero" e informa de que "se ha hecho una propuesta al propio Consejo de Universidades" (?).

La siguiente comparecencia del Secretario de Estado —De Toledo— fue consecuencia de la renuncia de Suárez Pertierra a hacer frente a unas preguntas orales en Comisión[160] sobre la movilidad estudiantil y el llamado *distrito compartido*; que el ministro había pronosticado extender al cien por cien en el año 2000. La situación muestra que "3.498 solicitantes de plaza por el distrito compartido, o sea casi el 45 por ciento de aquellos que reunían las condiciones precisas para ocupar plaza, porque su nota estaba por encima de la llamada *nota de corte* en del centro respectivo, se han quedado sin plaza; plaza que se ha otorgado a otros alumnos con menores calificaciones que ellos por razones puramente geográficas". La "mitad de los solicitantes se queda fuera y, sin embargo, un 40 por ciento largo de las plazas no llegan a encontrar quien las quiera. Dicho de otro modo, se están ofreciendo casi la mitad de las plazas del distrito compartido para estudiar en centros donde nadie quiere estudiar o en enseñanzas que nadie quiere cursar".

---

160 Congreso de los Diputados. V Legislatura. Comisiones núm. 347. Educación y Cultura. Sesión núm. 30. Jueves, 10 de noviembre de 1994, págs. 10781–10790.

De Toledo echó balones fuera o —una vez más, para ser más exactos— hacia la portería del Consejo de Universidades, pese a que solo escasas universidades estaban entonces transferidas a las Comunidades Autónomas. Esto resucitó la sospecha sobre un posible diseño de tal Consejo como un "biombo detrás del cual, cuando le interesa, se esconde el Ministerio —cuyo titular, por cierto, es presidente de ese Consejo de Universidades— y donde aparca aquellos temas a los que es incapaz de encontrar solución".

El asunto se complicaba en las comunidades autónomas a las que se habían transferido sus universidades. Por ejemplo, "la Universidad Complutense, que tiene 95 centros con limitación de plazas, debería tener 950 plazas de distrito compartido, con un mínimo que ustedes han convertido en excepcional, y solamente tiene 494". En las universidades catalanas, "la Autónoma tiene 297 plazas menos de las que debería y la de Barcelona 216 plazas menos". Por el estilo, la "Politécnica y la Rovira Virgili de Tarragona, llegando a 163 plazas menos". La del País Vasco 213 menos.

El desbarajuste es notable: "han pedido por distrito compartido estudiar Medicina 2.096 alumnos, se les han ofrecido 180 plazas y se les han dado 141"; en Arquitectura han pedido 643 alumnos estudiar fuera de su pueblo, se les ha ofrecido para ello 92 plazas —como alarde de movilidad— y se han dado 79".

Andalucía, con ocho universidades, se ha animado a crear un distrito único, que permite solicitar plaza en cualquiera de ellas. El resultado ha sido una "protesta de todos sus rectores por la discriminación territorial que está sufriendo Andalucía, con un régimen de traslado que cierra las puertas de los centros de Madrid y de toda Cataluña a los estudiantes andaluces y que, por el contrario, permite el traslado a esta comunidad de solicitantes de otras regiones". Como consecuencia, "habrá que tener en cuenta, en el futuro, que a la persona que se traslade a Andalucía para estudiar le daremos plaza en el lugar que más recursos haya, donde sobren plazas. Si alguien quiere estudiar derecho deberá hacer la petición por esa carrera en Andalucía. O sea que, si alguien quiere estudiar derecho en Granada, puede acabar estudiando derecho en Huelva". Esto me llevó a plantear que me "gustaría saber si realmente el modelo de distrito compartido, hacia el que vamos, consiste en una yuxtaposición de distritos únicos autonómicos". En realidad. el distrito único "es radicalmente contradictorio con la figura del distrito compartido. El distrito compartido, cuando se universaliza, exige la eliminación de los distritos únicos, se convierte él mismo en distrito único".

La posibilidad de estudiar la carrera deseada como primera opción resulta complicada. En Medicina en Madrid "un 37 por ciento largo de las plazas se adjudican a personas que no lo han solicitado en primera opción", mientras "de los que sí lo solicitan en primera opción se queda fuera un 67 por ciento". En Geológicas, "el 74 por ciento de las plazas se ha otorgado a quienes no lo habían pedido en primera opción, pero de los que lo pidieron en primera opción el 49 por ciento no tiene plaza".

En resumen, "ustedes tienen la responsabilidad de coordinar universidades, a través de los órganos que ustedes mismos han inventado, y no lo están haciendo. Van a producir unas transferencias a las comunidades autónomas y lo que hoy es un problema de coordinación de universidades se va a convertir en un problema de cantonalismo autonómico gravísimo, del que difícilmente vamos a salir, y que es antiuniversitario por definición". La respuesta oficial fue: "me reafirmo en la idea de que el Ministerio de Educación y Ciencia fomentará las medidas oportunas para extender el distrito compartido, para evitar sus desajustes y para llegar, en un futuro próximo, a un distrito único". Amén.

9. OTRAS VOCES UNIVERSITARIAS

Continuaron igualmente las comparecencias de autoridades académicas en relación a la anunciada reforma de la LRU. Así ocurrió con el Decano de Medicina de la Universidad Complutense[161] y el de Químicas de la Salamanca.

El primero —el profesor Moya Pueyo— era, a la vez, Presidente de la Federación de Asociaciones de Catedráticos de Universidad. Al abordar posibles defectos del proyecto de nueva LRU, considera que el "primero de ellos, el capital, es el de la endogamia en materia de selección de profesorado"; que tiene como consecuencia que "es muy difícil que un profesor pase de una universidad a otra". Antes, había universidades "que además de enseñar a los alumnos formaban a muchos profesores e iban a otras, eso prácticamente ha sido limitado o ha desaparecido".

Para ser profesor bastaría, a su juicio, con el doctorado y unos años de experiencia, rechazando el condicionamiento por sexenios de investigación. La "cuestión de los tramos está enormemente contestada" en la universidad. El malogrado intento de aumentar a cuatro, en tribunales de cinco, los miembros de las comisiones fruto de sorteo, fomentaría "la movilidad geográfica de los profesores". Las prueban son insuficientes; miden el nivel como investigador, pero no "como docente. Se puede, en algunos casos, ser profesor de una asignatura sin sabérsela". En la ANECA "los propios valoradores no tenían a la vista los trabajos que se habían presentado"; habría que solucionar "el tema del ocultismo, de la inespecificidad y de la falta de garantías, en una palabra".

"El cuerpo de catedrático de Escuelas Universitarias está prácticamente homogeneizado o casi identificado, diría yo, con el cuerpo de profesores titulares de universidad", continuó, el profesor Moya. "El cuerpo de profesores titulares de escuelas universitarias plantea

---

161 Congreso de los Diputados. V Legislatura. Comisiones núm. 373. Educación y Cultura. Sesión núm. 32. Jueves, 1 de diciembre de 1994, págs. 11508–11518.

en la universidad española en los últimos años serios problemas. No son doctores y han proliferado, porque una "universidad tiene tres profesores de éstos por menor costo que si fueran tres titulares de las facultades".

"La selectividad habría de complementarse con un porcentaje de las plazas para acceder a centros determinados previo un examen". Rechazó crear departamentos mezclando áreas de conocimiento. Defendió "que los rectores y los decanos fueran elegidos mediante un sufragio universal ponderado".

El decano salmanticense de Químicas —profesor Ramos Castellanos— se presentó a la vez "como miembro de la Comisión Gestora de la Asociación de Profesores Titulares de Universidad"[162] y se declaró conocedor de las enmiendas presentadas por el grupo parlamentario socialista. Afirmó que "estamos en una situación parecida a lo que ocurrió antes de las pruebas de idoneidad: el número de profesores no ordinarios es enormemente grande"; "estos problemas entiendo que no se arreglan para nada y que incluso se agravan con el proyecto de actualización": "ocho años de ayudante, ocho de profesor ayudante y hasta ocho de colaborador docente. Es decir, que un señor puede estar en la universidad 24 años, ¡24 años!, sin acceder a ninguna categoría de profesor ordinario"; "como no tienen ninguna selección previa, son 24 años de vida resuelta". Este "es el fallo más grave que tiene la carrera docente: que la inicia cualquiera"; "se deben poner unos criterios de capacidad y de mérito ahí, al inicio de la carrera docente".

"Cuando se está haciendo ahora la evaluación investigadora, no se está teniendo para nada en cuenta la verdadera labor investigadora del profesor. Se utilizan unos índices de impacto, se utilizan unos criterios de revistas, pero para nada se analiza la labor investigadora a través de los trabajos que ha hecho el profesor". "Y, por supuesto, que las comisiones no sean nombradas ni por el ministro, ni por el

---

[162] *Ibidem*, págs. 11518–11527

Congreso de los Diputados, ni por el Senado, sino que las nombren los rectores de las universidades, las universidades, es decir, académicos y no políticos". Y "la aplicación de la evaluación como criterio previo para el acceso a plaza de profesor universitario, ¡de ninguna manera!".

Los tribunales de tesis... que "haya una comisión nombrada por sorteo entre los doctores específicos de esa área a nivel nacional. ¿Por qué va a tener que hacer la propuesta el director de la tesis? Ya estamos viciándolo". "El departamento no quiere que le echen para atrás ninguna tesis".

En cuanto a las tasas, "estamos premiando al mal estudiante y estamos penalizando al becario que, como no apruebe un tanto por ciento de asignaturas, pierde la beca y a lo mejor tiene que dejar de estudiar. Entiendo que la segunda, la tercera y la cuarta matrícula deberían de subirse y, además, de forma drástica".

Órganos de gobierno... "en el claustro de la Universidad de Salamanca en los últimos años era prácticamente imposible hacer un quórum para que el claustro funcionara. Porque estos señores que están en la lista por compromisos personales, luego, a la hora de asistir a los claustros, no tienen ningún interés". La "burocratización de la universidad es un hecho. Todos nos vemos demasiado obligados a rellenar muchos papeles, y ello nos hace perder demasiado tiempo".

El "Consejo de Universidades, aunque una gran parte del mismo esté constituida por los rectores de las universidades españolas, pues no es académico en su totalidad, ya que creo que tienen influencias políticas".

La siguiente comparecencia fue, meses después, la del rector de la Universidad Politécnica de Madrid Rafael Portaencasa[163].

[163] Congreso de los Diputados. V Legislatura. Comisiones núm. 420. Educación y Cultura. Sesión núm. 33. Miércoles, 15 de febrero de 1995, págs. 12801–12812.

Comenzó sin rodeos: "Este proyecto ha sido muy contestado en nuestra universidad, no sólo en la nuestra, sino en muchas universidades"; lo que llevó al portavoz socialista a considerar su postura como "extremadamente crítica".

Diagnosticó un "excesivo encorsetamiento de la selección de profesores funcionarios", concretado en la "exigencia de evaluación favorable de tramos de investigación por un órgano externo a las universidades, que es la Comisión Nacional Evaluadora de la Actividad Investigadora, con una composición que el proyecto no concreta". Se quejaba de que, al evaluar las publicaciones, no se suele "tener en cuenta en la práctica su contenido, sino sólo el medio, preferentemente extranjero, en que se publicó, como si la investigación no fuera buena, sea cualquiera el medio en que se publique".

Tampoco le pareció razonable la "participación, en las comisiones de selección, de personas ajenas a la universidad. Nos referimos directamente a la participación de miembros del CSIC, generalmente sin experiencia docente y conocimiento de la vida universitaria". Como consecuencia, considera que "no se puede actualizar hoy la Ley de Reforma Universitaria sin que la universidad misma debata su contenido y alcance".

No oculté que su referencia a "la posible elección de rectores y decanos por sufragio universal ponderado nos resulta especialmente gratificante, en la medida en que coincide con una de las que hemos plasmado en el texto alternativo" presentado al proyecto de ley por el grupo popular. También que se mostrara acorde con nuestra propuesta de "una prueba en la que, como tradicionalmente se venido haciendo, el candidato demuestre su conocimiento del programa de la asignatura; cuestión que, por otra parte, curiosamente, es habitual en toda la función pública española menos en la de aquellos funcionarios que tienen que explicar un programa, a los cuales no se les exige que lo sepan, a diferencia de lo que ocurre con otros que no se dedican a explicar programa alguno".

Portaencasa fue elocuente al respecto: "creemos que debe mejorarse el examen poniendo obligatoriamente un ejercicio. Estamos totalmente convencidos; quizá los únicos no convencidos son los que tienen que pasar por el ejercicio". "Póngase obligatoria la prueba, no voluntaria; quítese un miembro del tribunal, déjenlo sólo en uno nombrado por la universidad"; "la mejor manera de eliminar la endogamia es eliminar los vocales de la universidad, reducirlos a uno, no a dos", porque "uno es mejor que dos". Uno "debe de haber por coordinación, pero nada más que por esta razón" y "obligatoriamente prueba, por descontado, en todos los niveles".

Indicó que en algunas universidades la creación de departamentos resulta problemática; con "centros con distancias de 30 o 40 kilómetros entre sí, y sin la ubicación en un campus único, es verdaderamente imposible hablar de una estructura departamental".

Defendió con claridad que en "nuestra Universidad siempre hemos hablado de que un tema que se debe abordar es el de la movilidad absoluta, el distrito compartido"; dado "el derecho de cualquier español, haya nacido donde haya nacido, es estudiar donde él quiera según su capacidad mental".

10. LO PRIMERO Y PRINCIPAL ES TENER EL TRIBUNAL

Mi último encuentro parlamentario con el Secretario de Estado de Universidades, De Toledo, fue motivado por el ministro —destinatario de la pregunta oral en Comisión[164]— que no dudó en cederle tal labor. Su objeto era satisfacer mi curiosidad "sobre finalidad que persigue el gobierno al propiciar fórmulas destinadas a impedir la presencia de determinados profesores en las comisiones encargadas de juzgar el acceso a plazas de profesorado universitario". El asunto derivaba de la nueva exigencia de contar con sexenios de investigación también para poder formar parte de tribunales para plazas de profesorado, lo que parecía distinguir, pese a haber ya demostrado mérito y capacidad, entre docentes de primera y de segunda división.

De Toledo defendía tal posibilidad, considerando que quien no tenía sexenios estaba faltando a su obligación y yo le recordé que, para sancionar a un funcionario, hay que abrirle expediente para que pueda defenderse. Insistía en la necesidad de apartar de las comisiones a profesores que "se limiten a cumplir con un expediente más o menos obligatorio de su función con una investigación del tres al cuarto"; yo replicaba que "aquellos profesores que se vean impedidos de formar parte de los tribunales aparecerán ante sus compañeros como incumplidores de su obligación sin haber tenido ni siquiera la posibilidad de defenderse. Curioso Estado de Derecho el que estamos montando aquí".

A la vez, a mí se me negaban datos sobre sexenios concedidos, para evitar diferencias entre profesores... Ahora les tocaba argumentar que el "aportar los resultados, y si no tengo noticias inciertas sobre el particular, supondría un atentado contra el derecho a la intimidad de quienes han sido evaluados"; aunque en toda oposición

---

164 Congreso de los Diputados. V Legislatura. Comisiones núm. 477. Educación y Cultura. Sesión núm. 38. Jueves, 20 de abril de 1995, págs. 14591–14593.

a plaza en la función pública se hacía saber quién aprueba y quién suspende, ejercicio a ejercicio.

La pregunta siguiente[165] era sobre finalidad que persigue el gobierno facilitando la presencia de profesores no especialistas en las comisiones encargadas de juzgar el acceso a plazas de profesorado universitario. "A la vez que se impide que todos los especialistas de una determinada área de conocimiento —por utilizar la terminología al uso— puedan ser miembros de comisiones, de tribunales para oposiciones a cátedra o de titularidad; parece que también el Gobierno está este momento promoviendo, y haciendo ya los estudios previos sobre el particular, la posibilidad de facilitar la presencia de profesores no especialistas en esas mismas comisiones". El asunto giraba en torno a un documento del ministerio, que el rector de mi universidad había enviado a los profesores y que el Secretario de Estado decía desconocer...

Argumenté: a profesores, que "han demostrado mérito y capacidad —por tanto, alguna vez en su vida han hecho algo más allá de tres al cuarto"— se les margina de las comisiones, en las que "podrán estar otros que jamás han demostrado mérito ni capacidad alguna respecto a esa área de conocimiento determinada"; por considerarlos "afines" a ella. Esto recordaba tiempos pasados en los que el ministerio designaba a todos los presidentes de las comisiones, al considerarlos más o menos afines, con lo que "todo el mundo entendía que eran amigos del candidato que se quería sacar". "La gente piensa que el especialista que menos sepa de lo suyo sabe más que un no especialista". Sorprendía que, "por un lado, se intente garantizar el automatismo y evitar la discrecionalidad y, por otro, se intente aumentar la discrecionalidad".

Dado que el documento de trabajo en estudio ha emanado de la secretaría general del Consejo de Universidad, sugerí: "quisiera

165 *Ibidem*, págs. 14593–14596.

que usted llamara al orden al señor Quintanilla, que al fin y al cabo cobra del Ministerio, y le dijera que no haga perder el tiempo al Consejo de Universidades con este tipo de cuestiones; que le consulte cuáles van a ser sus iniciativas”.

11. UNIVERSIDADES PRIVADAS

Una novedad en el ámbito universitario fue, en su día, la creación de universidades privadas, previo aval legislativo, que añadir a las derivadas de los Acuerdos con la Santa Sede. Las primeras habían sido la CEU San Pablo y la Alfonso X el Sabio. Ahora tocaba el turno, con informe favorable del Consejo de Universidades, a la Antonio de Nebrija —domiciliada en Hoyo de Manzanares y campus en la Dehesa de la Villa y en La Berzosa— con enseñanzas de ciencias sociales y jurídicas, enseñanzas técnicas y humanidades, con unos cuatro mil alumnos y 275 profesores, que compromete inversiones en investigación y becas. Igualmente, la Europea —domiciliada en Villaviciosa de Odón— en cuyo campus se impartirán enseñanzas de ciencias sociales y jurídicas, técnicas, ciencias experimentales y de la salud, así como humanidades; apuntaba a 12000 alumnos y 743 profesores, así como a invertir en innovación tecnológica y becas. Radicadas ambas, por tanto, en la Comunidad de Madrid. El debate conjunto en lectura única, se abrió con una breve presentación a cargo del ministro Suárez Pertierra[166].

Al presentar las enmiendas del grupo parlamentario popular apunté que cuando "se habla de universidad privada, nuestra experiencia es que al Grupo Socialista le preocupan que sean privadas; al Grupo Popular le preocupa que sean universidades; esa es nuestra única preocupación". La primera de nuestras enmiendas al proyecto indicaba como difícil de entender que a "una institución autónoma, con una autonomía que tiene rango de derecho fundamental, se le intente condicionar el acceso de los alumnos, sometiendo la posibilidad de ingreso de cualquier alumno en ese centro a un control previo que tiene que hacer otra universidad"; "como si fueran algo tolerado". En el fondo porque al diseñar la LOGSE no se atrevieron a establecer un examen final de bachillerato, pese a su obsesión por

---

166 Congreso de los Diputados. V Legislatura. Pleno. Núm. 151. Sesión núm. 149. Jueves 1 de junio de 1995, págs. 7966–7974.

la "comprensividad": que todos estudien lo mismo durante el mayor tiempo posible.

Quizá se debía a que "una de las dos universidades que hoy se aprueban aquí ha funcionado adscrita a una universidad del Estado, la Universidad Complutense, y, por tanto, sus alumnos han ido recibiendo sus títulos y sus profesores han ido teniendo una clara conexión con esa Universidad"; pero esos requisitos ya "sólo tendrían sentido dentro de una lógica mercantil de intentar frenar a la competencia".

No era sin embargo el caso de la Antonio de Nebrija, que no había funcionado como centro adscrito a una universidad pública. Sus alumnos han estado convencidos de la validez oficial de sus títulos. Se nos ha informado de que se procederá a establecer convenios que permitan salvar esa situación, de ahí que lo plasmásemos en una segunda enmienda al texto legal, que encontró apoyo en Coalición Canaria.

Llamó la atención la preocupación mostrada por Izquierda Unida, al temer que las universidades públicas quedasen despobladas, porque habrá "una universidad privada que pueda pagar el doble o el triple que la universidad pública" a su profesorado. La situación era bastante distinta. Más de un centro privado ya existente se nutría de los profesores asociados soñados por la LRU —profesionales de prestigio en ámbitos extrauniversitarios, que es donde cobraban en efecto el triple—, mientras que los asociados a tiempo completo inventados por las universidades públicas eran penenes disfrazados, que dedicaban a dar clase el tiempo que necesitaban para madurar en su disciplina, cuyo programa no habrían de mostrar en prueba alguna.

Rechazadas las enmiendas, el proyecto se aprobó por unanimidad...

12. LOS VECINOS DEL CSIC

Igualmente había aludido Suárez Pertierra, en su debut en Comisión, al Consejo Superior de Investigaciones Científicas: lo que me dio pie a resaltar las llamativas asimetrías entre tal institución y las universidades, en lo relativo, por ejemplo, a la obligada jubilación a los 65 años o la eventual conversión discrecional de los del CSIC en eméritos a puro dedo. El ministro admitió que era necesaria una mayor conexión entre el Consejo y las universidades. En su posterior comparecencia sobre la ley universitaria no habían faltado tampoco algunas alusiones, a propósito de la posible "presencia de profesores del Consejo Superior de Investigaciones Científicas en las comisiones para plazas universitarias", dadas las pintorescas asimetrías existentes. Esto me llevó a recordar al ministro que "el Secretario General del Consejo de Universidades —un subordinado suyo— siendo profesor titular, fue presidente de una comisión en el Consejo para plazas de profesores de investigación, que tienen categoría de catedráticos"[167].

Los debates sobre el particular tuvieron lugar con más frecuencia con los responsables de la institución. Las comparecencias con motivo de la futura ley de presupuestos brindaron oportunidad de ello. La primera, de las tres protagonizadas con su entonces presidente —el profesor Mato— no aportaba datos económicos muy estimulantes, como tuve oportunidad de recordarle[168]. La biblioteca del Instituto de Estudios Jurídicos se había trasladado, por razones desconocidas, a la Universidad Carlos III. Se

---

167 Congreso de los Diputados. V Legislatura. Comisiones núm. 175. Educación y Cultura. Sesión núm. 14. Jueves, 21 de abril de 1994, pág. 5514.

168 El Gobierno había anunciado en 1991 que en 1994 se invertirían 12.877 millones de pesetas, pero en 1993 los había rebajado a 5.809 y, en el proyecto ahora presentado se bajaba ya a 3.520 millones, con lo que nos quedábamos casi en la cuarta parte, disminuyendo también las previsiones para años posteriores. Igualmente se había reducido la plantilla de investigadores – Congreso de los Diputados. V Legislatura. Comisiones núm. 47. Educación y Cultura. Sesión núm. 4. Martes, 19 de octubre de 1993, págs. 1329–1332.

desmontó el Instituto de Filosofía, a los investigadores que había allí se les transfirió al de Historia y se creó, a continuación, otro instituto similar —quizá para otra filosofía...— con nuevos investigadores. Algo parecido ocurrió en Córdoba con un instituto, cuando presidía el Consejo el profesor Fereres, que tenía allí su plaza. Aludí también al "curioso sistema de formación de comisiones que ustedes mantienen en el Consejo"; "a puro dedo e incluso mezclando plazas de diversas áreas, con lo cual esas comisiones de siete miembros están formadas por las personas más variopintas, que tienen que juzgar a los candidatos especializados en las cosas más dispares". Pregunté también si pensaba "introducir la figura del emérito en el Consejo" o prefería "hacer contratos discrecionales con aquellos jubilados que estimara usted —personalmente o sus más inmediatos colaboradores— que era conveniente continuar con ellos".

El Profesor Mato no dio mayor importancia al presupuesto, confiando en "los recursos que, de manera competitiva y a través de operaciones comerciales, consigue el CSIC, y que para el presente año pensamos que se llegará a los 16.000 millones de pesetas". Admitió que, "para el año 1994 se ha producido una disminución de exactamente 795 millones de pesetas, que repercuten principalmente en las inversiones del organismo"; pero encontrarían solución con los fondos FEDER europeos.

Insistí, en aspectos menos económicos. "Imagínese que las comisiones para las plazas en la universidad fueran nombradas a dedo también a su vez por el ministro y sus colaboradores. Yo estoy seguro de que a alguno le parecería un sistema mucho mejor que el actual, pero realmente sería una minoría".

Aclaró que "se ha hecho una cesión de uso de la biblioteca del Instituto de Estudios Jurídicos a la Universidad Carlos III" —de la que era rector mi colega Gregorio Peces Barba...— insistiendo en que era "una cesión de uso de la biblioteca, no de la propiedad"; pero sin indicar las razones de tan generosa actitud. En cuanto a la asimetría con la universidad en el sistema de provisión de plazas, se remitió a la existencia de un decreto regulador al respecto[169], dando tácitamente a entender su aceptación del sistema en vigor.

En la del año siguiente —relativa al proyecto de presupuestos para 1995, hice notar una aparente política de cambio, para que vayan saliendo determinados investigadores y entrando otros. Se prima la creación de "plazas de colaborar científico de una manera clarísima y se evita que la jubilación" sea similar a la "de los investigadores de la universidad, y así, poco a poco, se van sustituyendo unas cohortes por otras". En cuanto a las comisiones para otorgar las plazas insistí en que, dada la "designación directa", parece haber "un grupo de bien vistos que, al final, son los que van a decidir quién puede investigar o quién investiga de hecho en este país". El profesor Mato volvió a mostrase satisfecho con los presupuestos y evitó referirse a otros procelosos temas[170].

En la tercera comparecencia[171] —ya para el proyecto de presupuestos de 1996— se mantenía el retroceso en previsiones inversoras. "En 1992 había 4.358 millones; en el 93, prácticamente se mantienen; en el 94 hay una bajada a 3.500 millones; y en el 95 se corrigió, aun sin llegar a los niveles del 92, se puso en 4.500. Y ahora, de pronto, baja de golpe a 2.797, que es una cantidad que queda enormemente alejada de cualquiera de la serie analizada". Sigue observándose disminución en las plantillas.

Para Mato, al ser el Consejo "un organismo público de investigación autónomo y de carácter comercial", "en 1995 nuestro objetivo es superar los 56.000 millones de pesetas y nuestra previsión para 1996 será superar los 58.000 millones de pesetas". Por lo demás "quisiéramos que hubiese mayor número de personal investigador, pero hay que ser consecuentes también con el capítulo 1 de los presupuestos".

---

169 Ibidem, pág. 1334.

170 Congreso de los Diputados. V Legislatura. Comisiones núm. 318. Educación y Cultura. Sesión núm. 29. Martes, 18 de octubre de 1994, págs. 9660–9661.

171 Congreso de los Diputados. V Legislatura. Comisiones núm. 576. Educación y Cultura. Sesión núm. 48. Martes, 10 de octubre de 1995, págs. 17601–17603.

Apunté que la Comisión parlamentaria no tiene como función "controlar la calidad científica ni el entusiasmo de los miembros del Consejo, sino controlar la actitud del gobierno a la hora de financiar el Consejo, y eso sí que es manifiestamente mejorable, como acabamos de ver".

Problemas ya señalados, ajenos a la temática presupuestaria tuvieron una privilegiada ocasión de ser debatidos. Experimenté para ello una estrategia parlamentaria. Las comparecencias —tanto en pleno como en comisión— abren un debate amplio con posibilidad de intervención de varios grupos parlamentarios. Ante lo variado del menú, el compareciente puede elegir lo que le apetezca y eludir aspectos menos deseables. Las preguntas orales en pleno implican un cara a cara, pero sometido a escaso tiempo. Plantear una cadena de preguntas sobre tema similar permitía en Comisión mantener un tu a tu, con difícil posibilidad de escape[172]. El sufrido protagonista fue el profesor Fereres —ya citado— en "servicios especiales" por su condición de Secretario de Estado de Universidades, aunque buen conocedor del Consejo, que había presidido y al que regresaría.

La primera pregunta versó "sobre las razones por las que el gobierno ha ocultado a la cámara los datos solicitados sobre qué miembros de la plantilla del Consejo Superior de Investigaciones Científicas (CSIC) han intervenido en las comisiones encargadas de juzgar el acceso a plazas convocadas". Había solicitado tales datos por escrito, pero no hubo respuesta, ni se justificó el motivo.

En un proyecto de ley enviado por el Gobierno, cuya tramitación quedó inconclusa cuando le faltaba una semana, se equiparaban los miembros del Consejo a los de la Universidad a la hora de integrar en el futuro las comisiones para plazas de profesorado universitario. Resultaba llamativo que se les considerara iguales a un efecto (podían intervenir en esas comisiones) y que, sin embargo,

---

[172] Congreso de los Diputados. V Legislatura. Comisiones núm. 153. Educación y Cultura. Sesión núm. 12. Miércoles, 23 de marzo de 1994, págs. 4886–4896.

no se les extendiera esa igualdad en cuanto a un sistema que en la Universidad está perfectamente consolidado, que es el del sorteo". Sistema que, por eficacia para el logro "de objetividad y de publicidad de los mecanismos para la provisión de plazas han sido siempre una garantía para dejar al abrigo de cualquier sospecha, de cualquier suspicacia, trámites tan delicados". Se trataba de saber qué miembros de la plantilla del Consejo Superior habían intervenido en las comisiones de cada una de dichas áreas y en cuántas ocasiones cada uno, y qué miembros de la citada plantilla, aun reuniendo los requisitos formales oportunos para ello, no habían formado parte de ninguna de las comisiones de cada una de estas áreas, todo ello referido a los últimos ocho años.

Fereres negó toda ocultación, "sino que la pregunta fue mal interpretada"; habían pensado en cuántos y no en quiénes. Ignorando sorprendentemente el carácter competitivo de tales concursos, afirmó que el "sorteo tampoco elimina la posibilidad de que haya personas que no estén en los tribunales. Entonces tampoco es un método perfecto". Le pregunté si compartía la teoría del presidente del Consejo, "según la cual el Consejo debe gestionarse como una empresa privada". Apunté que antes, cuando se hablaba de la Universidad en tono peyorativo, se decía que había catedráticos que se creían que su departamento era un cortijo, y ahora, por lo visto, ya no van a ser cortijos, van a ser empresas privadas, lo cual es un avance en la modernización". Y, como cierre, "usted tiene. que explicarme por qué determinados miembros del Consejo no salen nunca. No lo pueden achacar al sorteo".

La segunda pregunta, que resultó, más delicada, se interesaba por la participación de la plantilla de investigadores en esos concursos para otorgar plazas. Comencé recordando que "usted ha obviado otra realidad y es que el sorteo existía en el Consejo; lo han quitado ustedes".

La pregunta siguiente se interesó por los "criterios que han presidido la designación a dedo de miembros de las comisiones encargadas de resolver concursos a plazas", "tanto entre profesionales de esa institución, como entre profesores de universidad ajenos a ella". Según mis datos, mientras que algún premio Príncipe de Asturias o antiguos vicepresidentes del Consejo no habían estado ni una vez, otros de similar especialidad habían estado hasta cinco o siete veces. Algunos, que habían estado antes de 1982, no habían vuelto a aparecer más tarde. Tuve que recordarle que, en política, "lo que no se presenta todo el mundo tiene derecho a entender que es impresentable". El récord lo poseía, con doce intervenciones, el profesor Banda, que no mucho después sucedería a Fereres como Secretario de Estado de Universidades. 36 catedráticos de universidad participaron cinco o más veces. El índice de participación, por procedencia de comunidades autónomas, oscilaba entre 192 presencias de 229 miembros en Andalucía y 203 de 139 en Cataluña. A modo de respuesta Fereres, consideró que la información estaba manipulada, porque "el profesor Enric Banda, que ha dicho que ha estado no sé cuántas veces, nunca ha participado en comisiones que juzguen más de una o dos plazas". O sea, el llamado método Ollendorff. Afirmó también que "si se cuestiona el procedimiento, se están cuestionando los resultados; aunque no se diga, los perfiles, repito, son muy estimables". O sea, que el fin justificaba los medios...

Respondí: "El problema es que, con sorteo, un señor que no sale tiene mala suerte; a dedo, un señor que no sale está mal visto. Es así de fácil". Y, más adelante: "distinga elementalmente entre procedimientos y resultados. Con buenos procedimientos usted puede tener resultados no muy eficaces, y con malos procedimientos tener muy buenos resultados; son cosas distintas. La democracia consiste en respetar los procedimientos, y las garantías de los derechos suelen estribar en el derecho procesal".

La cuarta pregunta versó sobre "aplicación de la exclusión de los profesores en situación de 'servicios especiales' de los sorteos de vocales de las comisiones encargadas de resolver concursos a plazas de profesorado universitario, y no a la designación de vocales de similares comisiones en el Consejo". La trayectoria del profesor Quintanilla, ya aludido, se erigió en protagonista. senador que fue del PSOE y por entonces alto cargo del Ministerio —Secretario General del Consejo de Universidades— en un momento en que, por estar dedicado a la política, no podía ni entrar en sorteos en la Universidad, estaba en el cuadro de honor de los más nombrados —hasta seis veces— a puro dedo en el Consejo. Dado que la desigualdad degenera en discriminación, "¿cuál es el fundamento objetivo y razonable para que un señor en servicios especiales no pueda entrar en sorteos en la Universidad y, sin embargo, sí pueda estar en las comisiones del Consejo?". A modo de defensa, Fereres afirmó que "el profesor Quintanilla tiene una obra en filosofía de la ciencia creo yo que estimable, aunque no conozco esa disciplina"...

Y llegó la pregunta del millón: "sobre criterios que justifican la definición de la *especialidad* en referencia a la cual se convocaron el día 15 de noviembre de 1993 once plazas de colaboradores científicos", en las condiciones ya comentadas. Se había creado, por ejemplo, un tribunal, el número 1, que se ocupaba de Ciencias Históricas, Filológicas, Filosóficas, todo junto: una plaza. Hay otro tribunal, el 4, para Ciencias Naturales, mientras el 5 es para Botánica de las Plantas Cultivadas, con menos concursantes, como es lógico. Unas plazas se corresponden con las áreas, y otras no. La plaza del tribunal 5 acaba siendo para una investigadora, cuya calidad científica nadie pone en duda; lástima que el procedimiento sea tan asombroso. Suficientes problemas tienen profesionalmente las mujeres, para que sus logros se traduzcan en que "en el Consejo haya sido la comidilla durante meses que una plaza saliera de una manera tan absolutamente rara". Con lo que se cerró un maratón no exento de tensiones...

Esta sesión fue complementada por la comparecencia del profesor Ernesto García López, presidente de la asociación de personal investigador del Consejo[173], sobre los intentos de acercamiento y

---

173 Congreso de los Diputados. V Legislatura. Comisiones núm. 420. Educación y Cultura. Sesión núm. 33. Miércoles, 15 de febrero de 1995, págs. 12822–12831.

colaboración con las universidades. Resalté algo afirmado por el compareciente: cómo la participación de profesores universitarios en las comisiones de acceso a plazas del Consejo es del 45%. Le pregunté cuál era la actitud dominante en el Consejo sobre la posibilidad de establecer el sorteo para la composición de las comisiones de acceso a plaza, así como sobre "otras asimetrías imperantes", como la permanencia de una jubilación obligatoria a los 65 años.

Su respuesta fue que "la mayor parte —del orden del 80 o 90 por ciento— del personal investigador del Consejo, quiere ser lo más parecido posible al profesorado universitario"; sin embargo, aunque se crean centros mixtos Universidad–CSIC, persisten las asimetrías. Respecto a la contratación discrecional de jubilados, indicó que "cuando la decisión la toma sólo una persona, las posibilidades de discrecionalidad son enormes". "Mucha gente lo entiende realmente como una caridad cuando consideran que debería ser un derecho". En cuanto a la participación en las comisiones, afirmó que "en esos tribunales en un plazo de diez años los dos tercios de la plantilla no estuvieron nunca; 40 personas del Consejo de los 1.600 investigadores se ocuparon del 25 por ciento de las plazas posibles"; "1.000 o 1.200 investigadores no hemos estado nunca, en diez años, en un tribunal de oposiciones, lo cual no deja de ser sospechoso".

Valga como anécdota que, en su turno, el portavoz socialista señor Jover, dedicó buena parte de su intervención a criticar el sistema de *habilitación* defendido por el grupo popular sin venir a cuento, aunque demostró no estar muy informado de sus perfiles. Me asombró que, frente a nuestra crítica a la endogamia, se mostrara poco partidario de la movilidad del profesorado.

Por último, el problema de la jubilación prematura de los investigadores fue objeto de una proposición no de ley presentada por el grupo socialista[174]. Su portavoz —Palacios Alonso— afirmó que

---

[174] Congreso de los Diputados. V Legislatura. Comisiones núm. 634. Educación y Cultura. Sesión núm. 51. Jueves, 30 de noviembre de 1995, págs. 19177–19183.

"un país no puede renunciar a sus científicos, reconocidos nacional e internacionalmente, en plena capacidad creativa de investigación. Nos parece que en nuestro país hay un buen número de investigadores en esta situación en lo que concierne al CSIC, por lo que, teniendo en cuenta la especificidad de sus cometidos, proponemos su contratación, una vez jubilados, en los términos que establece la proposición no de ley". Su contenido, sin embargo, no iba más allá de los contratos ya aludidos por el profesor Mato en alguna de las comparecencias, con alguna preocupación por no convertirlos en discrecionales.

Añadiré, como anécdota, que terminó afirmando: "ha sido presentada una enmienda por el Grupo Popular, si he de hacer referencia a la misma tengo que decir que la rechazamos". Esto obligó a intervenir al presidente de la comisión: "debe esperar a que el señor Ollero la defienda. Todavía es posible la retire"...

No fue ese el caso. Planteé que "mientras que a los de la universidad se les reconoce la jubilación voluntaria a los 65 años y se aplaza la forzosa a los 70, no se sabe por qué, ni lo ha dicho el señor Palacios, a todas estas personas de las que ha hecho merecido elogio en cuanto a sus condiciones, no se les permite la posibilidad de continuar en tan interesante tarea, que, además, ha supuesto una gran inversión de dinero público para su formación".

El portavoz canario —Mardones Sevilla— anunció su voto positivo con un argumento difícilmente rebatible: "menos aceite da un ladrillo". Lo hice propio, en nombre del grupo popular, para anunciar nuestra abstención, cuando el grupo socialista daba por hecho el voto en contra.

***

Problemas relacionados con la investigación tienen también presencia en una específica Comisión Mixta Congreso–Senado, atenta a la marcha del I+D. Tal carácter tuvo la comparecencia del representante de España en el centro europeo de investigación nuclear

(CERN)[175]. Aludió a factores que afectaban al desarrollo del sistema. Señaló que en las universidades "se proveen plazas de profesores, de investigadores y demás "sin tener en cuenta generalmente las necesidades en investigación científica, sino que se tiene en cuenta más bien el número de estudiantes". Respecto a las empresas, reconoció que "muchas veces no hay el apoyo administrativo o incluso financiero que se requeriría".

No faltó en dicha Comisión una comparecencia del ministro Suárez Pertierra[176]. Hubo ocasión de hacerle notar la necesidad de posibilitar "una carrera científica, como hay una carrera docente; el despilfarro que supone dedicar dinero a formar mediante becas posdoctorales —a veces la media viene a ser unos diez años— a una serie de personas a las que luego se las deja prácticamente en la calle, frustrándolas". El ministro recordó que "el desequilibrio entre la aportación del sector público y la del sector privado, a pesar de toda esa inducción financiera desde los fondos propios del Plan Nacional, es verdaderamente importante y nos aleja enormemente de otros países de la Unión".

La comisión dictaminaba igualmente las memorias de los planes nacionales de I+D, siendo de resaltar el tono de consenso —hoy llamativo— del debate sobre las enmiendas al texto y la más que mejorable marcha de la gestión gubernamental al respecto. Sobre la memoria correspondiente a 1993 la comisión no pudo emitir dictamen hasta diciembre de 1995[177], calificando, el propio portavoz socialista de "arqueológica" la tarea realizada en tales

---

175 Cortes Generales. V Legislatura. Comisiones Mixtas. núm. 18. Investigación Científica y Desarrollo Tecnológico. Sesión núm. 3. Jueves, 24 de febrero de 1994, pág. 288.

176 Cortes Generales. V Legislatura. Comisiones Mixtas. núm. 78. Investigación Científica y Desarrollo Tecnológico. Sesión núm. 9. Martes, 15 de junio de 1995, págs. 1574 y 1577.

177 Cortes Generales. V Legislatura. Comisiones Mixtas. núm. 99. Investigación Científica y Desarrollo Tecnológico. Sesión núm. 10. Martes, 12 de diciembre de 1995, págs. 1979 y 1991.

condiciones. Por lo demás, quedó de relieve que, en relación al PIB, mientras Italia —de 1991 a 1992— pasaba de un porcentaje de 1,32 a 1,38, España estaba estancada en 0,87%. Igualmente, el porcentaje de gasto total en I+D que se hacía en el seno de las empresas en España era inferior en un 8,6% a la media de los países de la Unión Europea.

13. UN MINISTRO DE PASO

El último diálogo, aunque —al menos yo— lo ignorara, con el ministro sobre estos temas tuvo lugar, por pregunta oral en Pleno, sobre la convocatoria de una prueba de selectividad específica para los alumnos de la LOGSE[178]. Le planteé que "lo menos que cabría esperar de una reforma tan aparatosa como la de la LOGSE es que sus alumnos las superaran con mayor brillantez que los que no han tenido la fortuna de disfrutarla". Sonaba, sin embargo, a selectividad con rebajas. El "índice de fracaso escolar de los alumnos sometidos a la LOGSE supera espectacularmente al de los que pudieron escapar de ella". Entre siete puntos más en Granada o 18 en Salamanca; con un 54% de no presentados el pasado año, solo un 38% aprobó en junio. El ministro prefirió no hablar de fracaso, sino de "falta de aprovechamiento escolar".

No debió pasarlo demasiado bien Gustavo Suárez Pertierra, agobiado con los pertrechos de la herencia maravalliana. Una LOGSE doctrinaria, con más ambiciones que financiación, y una LRU a la búsqueda de un apoyo parlamentario que por aquel entonces —¡qué tiempos aquellos!— exigía más de lo que se estaba dispuesto a conceder. Dado el oscuro futuro panorama, su marcha sonaba más a dimisión que a cese, porque cambiar de cabalgadura sin perspectivas de continuidad no parecía lógico. González no se devanó los sesos y se limitó a mover ficha dentro de su gobierno, donde había alguien con conocimientos universitarios. Entró pues en escena Jerónimo Saavedra, mudándose desde el Ministerio de Administraciones Públicas. Acabaría siendo un ministro de paso; quizá en tácito homenaje a mi admirado Luis Eduardo Aute.

A modo de entremeses, como ya sucedió a su antecesor, se encontró con dos proposiciones no de ley. La primera aspiraba a

---

[178] Congreso de los Diputados. V Legislatura. Pleno. Núm. 159. Sesión núm. 157. Miércoles 28 de junio de 1995, págs. 8458–8459.

"se facilite a los ciudadanos el acceso a los estudios deseados en la universidad de su preferencia, poniendo fin a trabas como la de los llamados *distritos blindados*", planteada en Comisión[179] por el grupo parlamentario popular. La proposición abría cauce al debate parlamentario sobre extremos ya planteados, vía pregunta oral. No tenía "sentido que alumnos que han obtenido mejores calificaciones en la selectividad se vean obligados a estudiar lo que no desean, en razón de su procedencia geográfica". Todo ello por un "doble incumplimiento del gobierno", que no había establecido los módulos objetivos de capacidad de los centros universitarios, exigidos por la LRU, ni tampoco puesto en marcha unas becas de movilidad; lo que demostraba que "no había voluntad política de realizar esas inversiones que adecuaran demanda social y capacidad" de los centros.

La situación era curiosa. El "Secretario de Estado, don Emilio Octavio de Toledo, que se pronuncia sobre este particular como si él estuviera en la tribuna viendo un partido internacional, lo cual corresponde a lo mejor también por el Ministerio al que pertenece, y dice, como un espectador más —él no juega a esto— que es necesario fomentar el distrito compartido como instrumento, ya que todavía no está desarrollado suficientemente —por lo visto, no es cosa de él—, que esta idea es compartida por los demás grupos parlamentarios —o sea que nosotros compartimos su idea, lo cual demuestra que estamos acertadamente situados— y que en el próximo Consejo de Universidades trasladará estas posturas a los rectores. Aquí estamos los grupos parlamentarios por un lado, los rectores por otro y don Octavio de Toledo de árbitro", aunque él, que preside "muchas veces, en nombre del ministro, el Consejo de Universidades, es responsable de este asunto" realmente. En todo caso, el gobierno sigue anunciando "para el año 2000 —quizá porque tienen la certeza

179 Congreso de los Diputados. V Legislatura. Comisiones núm. 551. Educación y Cultura. Sesión núm. 46. Miércoles, 13 de septiembre de 1995, págs. 16794–16799.

de que no van a gobernar y por tanto no es su problema—, cien por cien de distrito compartido".

En teoría, cada universidad seguía aportando a dicho distrito el 10 por ciento de las plazas por centro, con un máximo de veinte plazas. Era obligado eliminar dicho tope, porque gracias a él "se rebaja en la práctica a la décima parte el porcentaje de plazas teóricamente disponibles". No "se está realmente compartiendo plaza alguna". "Lo que está haciendo el gobierno es añadir al número de plazas existentes, en un centro determinado, creándolas voluntaristamente sin ningún apoyo físico, económico ni de profesorado, el número de plazas de distrito compartido". "Es una propina que el Gobierno inventa". Gracias a ello, en el año 2000 el "gobierno piensa realmente convertir un centro en donde caben 164 alumnos, y admite que no caben más, en un centro donde quepan 328, sin añadir profesorado ni un solo metro de espacio".

Para colmo, la pasividad ministerial permite que haya *distritos blindados*. "la Universidad Complutense de Madrid este año no ha ofertado el 10 por ciento de las plazas de distrito compartido. Ha ofertado realmente el 5,8. Esa es la realidad". Tiene "25.000 plazas, de las que debería haber ofrecido 494. Ese es el censo real; las que ofrece realmente; pero es que luego, de las 494, llega a atribuir realmente 421". La "Politécnica de Madrid ofrece este año realmente —veremos las que ocupa— el 6,2; Universidad Autónoma de Madrid, el 6,5; la Carlos III, el 7. La media nacional es el 8,14. La teórica, el 10. Barcelona ofrece el 6,2. La Politécnica de Barcelona, el 7,4. La Pompeu Fabra, el 7,6".

Para completar el cuadro, han surgido "tratados intercomunitarios, que ya existen, entre dos comunidades autónomas que deciden establecer una pintoresca relación de preferencia entre sus distritos únicos y el distrito compartido desaparece".

Ningún grupo parlamentario presentó enmiendas. El portavoz socialista no ahorró argumentos: "entiende que se trata de un problema complejo". Por lo visto, su gobierno solo abordaba problemas fáciles... No le extraña mientras que haya "otros centros dentro de las universidades a los que, ofreciendo plazas por el distrito compartido o simplemente porque no tienen ninguna limitación en las plazas que ofrecen, no acuden alumnos" Es lógico, porque —aunque fueran apetecibles— exigirían inexistentes becas de movilidad.

La proposición fue rechazada, por 14 votos a favor y 20 en contra.

14. LA BATALLA DE LOS PRESUPUESTOS

Las comparecencias de altos cargos para informar sobre el proyecto de presupuestos generales para 1996[180] ilustraron la herencia recibida por el nuevo ministro, tanto en lo relativo a universidad, como a educación, CSIC y Plan Nacional de Investigación.

El incombustible Marchesi abordó sin problemas los datos educativos[181]. Los presupuestos presentados me parecían "empeñados en demostrar que se puede reformar la educación sin dinero". Quedaba fuera de discusión que el año anterior "el 3,9 por ciento de los presupuestos se destinaba a la educación, este año se destina sólo el 3,2. Por tanto, es que hay menos atención a la educación, aparte del contexto general del recorte presupuestario", que cabía estimar en 4'32. "Ustedes dijeron, en 1993, que iban a invertir, en 1996, 11.323 millones de pesetas. A la hora de la verdad, invierten 7.828, un ligero recorte del 30,8 por ciento". Si hay recortes en educación infantil, "no es un problema de caída de la natalidad, es un problema de aplazamiento de la inversión", ya que ustedes "dicen que ahora van a crear 2.000 plazas, pero reconocen que tienen que crear 7.000". "El año pasado las becas se incrementaron en un 5 por ciento. Este año, con una inflación del 3,5, ustedes incrementan las becas el 1,47. Teniendo en cuenta cómo las pagan (de lo que hablaremos otro día), por lo visto ustedes están convencidos de que las becas las utilizan los alumnos para ir al cine".

Marchesi apunto que "contamos con la incorporación en 1996 de una cantidad importante del Fondo Social Europeo, cercana a los 30.000 millones de pesetas", "para la puesta en práctica de los programas de formación profesional". Apunté que "lo que me dice de los fondos europeos no sólo no me tranquiliza, sino que me intranquiliza. España no va a tener esos fondos europeos eternamen-

---

180 Congreso de los Diputados. V Legislatura. Comisiones núm. 576. Educación y Cultura. Sesión núm. 48. Martes, 1 de octubre de 1995.

181 *Ibidem*, págs. 17575–17584.

te, los tiene ahora porque es uno de los últimos países de la Unión Europea. Cuando entren los países de Centroeuropa, o del Este, como les llamamos por aquí, se acabó el Fondo Social Europeo, y alguien preguntará: ¿qué hizo el Gobierno español cuando los tenía? Y descubrirá que los dedicó al día a día, en lugar de dedicarlos para lo que están, para que sean de verdad un impulso compensatorio de nuestra situación".

***

Hubo cambios en Universidad, aunque solo relativos, ya que el nuevo Secretario de Estado —Banda Tarradellas[182]— era viejo conoció por sus andanzas en el CSIC y su asiduidad a las comisiones de acceso a plazas. No puede extrañar que el diálogo girara sobre todo sobre aspectos relativos a la actividad investigadora, dado que había intervenido en la presentación del III Plan Nacional. Admitió los recortes que le apunté, pero asegurando que no afectarían a los objetivos perseguidos, al disponerse fuentes de financiación ajenas a los presupuestos.

Me extrañó la ausencia de una partida para exención de tasas para familias con tres o más hijos, pese a existir mandato legal al respecto. Dadas las competencias autonómicas, consideró que habría que mantener al respecto una negociación aun no abordada.

De presentar lo presupuestado para el Consejo Superior de Investigaciones Científicas se encargó su presidente, nuestro ya conocido profesor Mato[183]. Aludí a un "recorte espectacular en inversiones, en el Consejo en concreto, que llega al 38 por ciento". Le quitó importancia, una vez más, porque una cosa es lo que presupuesta el gobierno para el Consejo y otra el presupuesto del Consejo, propiamente dicho "dado su carácter de organismo público de investigación autónomo y de carácter comercial", que se nutre a la vez de "fondos de la Unión Europea o relaciones con empresas". "El nivel

182 *Ibidem*, págs. 17594–17601.
183 *Ibidem*, págs. 17601–17603.

de éxito del Consejo en las convocatorias del Plan Nacional es el 70 por ciento"; nuestro "objetivo para el año 1996 es llegar al 75 por ciento".

Le recordé que en "el año 1995 se presupuestaron 14 profesores de investigación más de los que había, pero acabó habiendo cinco menos; se presupuestaron 4 investigadores menos que el año anterior, pero acabó habiendo 30 menos; y colaboradores científicos se presupuestaron 105 más que el año anterior, pero acabó habiendo dos menos. Los presupuestos del año pasado suponían un incremento de plantilla de 115, mientras que la realidad posterior ha sido una rebaja de 37". Volvió a mostrase satisfecho: "No todo es presupuesto, indudablemente, lo importante es la eficacia con que se utiliza ese presupuesto, y no sólo la eficacia en su ejecución sino los resultados científicos que se obtienen con ellos".

15. NUNCA FALTAN TEMAS PENDIENTES

A todo esto, el nuevo ministro no se excedía en presencias parlamentarias. Esto me había llevado a comentar, en aquella misma sesión, a Marchesi que el ministro parecía "muy preocupado porque no conoce nuestro programa. Nosotros entendemos que, como lleva poco tiempo, con que se dedique a conocer el suyo, tiene bastante". Al fin y al cabo, "cuando deje de ser ministro, ya se aprenderá nuestro programa con tranquilidad".

Tuvo la oportunidad de contestar una serie de cinco preguntas orales, con ocasión de una comparecencia en Comisión sobre problemas relacionados con el sistema de becas, pero —quizá fatigado— prefirió endosárselas al Secretario de Estado Banda; aunque la primera de ellas abordaba una cuestión pendiente relacionada con su asignatura, derecho del trabajo: exención de tasas a funcionarios[184]. La progresiva transferencia de universidades a las comunidades autónomas planteaba el dilema de qué administración había de asumir tal previsión legal. La respuesta no dejaba de resultar sorprendente: "en esas condiciones, y dada la situación jurídica de los estudios que se han realizado, el Ministerio de Educación y Ciencia no piensa adoptar ninguna medida al respecto". Le recordé que "el Tribunal Económico Administrativo Regional de Madrid dice, en concreto, que en nada vulneran lo dispuesto en la ley —se refiere a la LRU— las exenciones establecidas en otras normas anteriores a la misma". Todo parece invitar a decir a los peticionarios que "los tribunales que digan lo que sea, y ya les pagaremos dentro de cuatro años. Eso es lo que se llama una medida de protección social"...

La segunda pregunta, en este repaso a cuestiones pendientes, versaba "sobre reformas institucionales previstas por el Ministerio de Educación y Ciencia en lo relativo a órganos de gobierno

---

184 Congreso de los Diputados. V Legislatura. Comisiones núm. 596. Educación y Cultura. Sesión núm. 49. Jueves, 19 de octubre de 1995, págs. 18160–18162.

universitario"[185]. La inicié con una cita a Gregorio Peces–Barba, que "fue presidente de esta casa" y, partiendo de sus experiencias como Rector: "acaba de publicar unas reflexiones sobre la universidad en las que dice: no se supo resolver adecuadamente el gobierno de las universidades. Existen muchas situaciones de dificultad, derivadas de un exceso de presencia de estamentos cuyos intereses principales no se centran ni en la calidad de la enseñanza ni en la exigencia razonable de conocimientos. Todo ello condiciona, muchas veces, las medidas que los rectores y demás responsables universitarios pueden tomar en beneficio del interés general. O sea, que hoy es algo ya unánimemente compartido que el gobierno de la Universidad está mal diseñado y que está organizando distorsiones".

La respuesta pareció responder a una táctica de echar balones fuera. "Nosotros esperamos de los rectores que sean críticos y no me gustaría que un rector de cualquier universidad española dijera que está muy contento de cómo funciona la universidad y que tiene suficiente presupuesto; porque eso no sería un rector".

Previsiones sobre medidas al respecto existían, dados los contactos del ministerio con sectores afectados. "No me diga que no prevén hacerlas; sí prevén hacerlas, y yo creo que, evidentemente, usted frustraría el sentido de esta comparecencia parlamentaria si nos ocultara algo que está diciendo a otros y, además, respetaría poco la soberanía popular". Habría que abordar el "lío de la LRU, donde todo el mundo sabe de todo, venga o no a cuento" y hay alguna universidad, "donde en la comisión de doctorado no hay ningún doctor porque ¿qué falta hace?"; "lo de la imaginación al poder tiene un límite, y que quizás es mejor que, quien se ocupe de algo, sepa de qué está hablando".

La táctica intuida se siguió cumpliendo: "nosotros no somos quienes vamos a determinar qué vamos a hacer, porque eso es com-

---

185 *Ibidem*, págs. 18162–18163.

petencia del Consejo de Universidades". El latiguillo de rigor alimentaría también el diálogo en preguntas posteriores.

La siguiente pregunta encabezó una serie sobre los problemas de los alumnos para acceder a los estudios deseados. Se ocupaba de "medidas que piensa adoptar el gobierno para evitar que la proliferación de los *distritos únicos*, o la tolerancia hacia presuntos *distritos blindados*, fomente el cantonalismo universitario"[186].

De los datos recibidos se desprendía que había un "aumento del 43,5 por ciento de solicitantes del distrito compartido respecto del año anterior" y que "el 45 por ciento de los solicitantes, 3.498 en concreto, reuniendo los requisitos, porque están por encima de las respectivas notas de corte del centro al que quieren ir, sin embargo, se quedan sin plaza; plazas que son ocupadas por alumnos con menores calificaciones que ellos y con la única prerrogativa de vivir en otro sitio; por tanto, están siendo claramente discriminados por razones geográficas". La existencia, por centro, de un "tope de 20 ha supuesto una merma de casi dos puntos, tope que habría que quitar, a no ser que usted aquí exponga alguna razón de por qué hay que mantenerlo".

"A mí me parece que el aumento del 5 al 10 por ciento es razonable", afirmó Balta, cuidándose de no aportar razón alguna. Insistí: "no se olvide de que le he preguntado qué razón puede aportar (y si es usted un hombre imaginativo seguro que alguna podrá aportar, a lo mejor no le satisface íntimamente mucho, pero apórtela) para que haya un tope de 20, que supone dos puntos menos. ¿Por qué en un centro donde hay 1000 alumnos no se pueden sacar 100 plazas a distrito compartido?". "Vamos a dejamos de la broma del Consejo de Universidades. Ustedes son los responsables de este asunto; el Consejo de Universidades les va a asesorar en lo que ustedes quieran, pero son los responsables políticos de este asunto. No me juegue a eso, porque, desde luego, conmigo no va a tener mucho éxito".

186 *Ibidem*, págs. 18163–18166.

Una cuarta pregunta se interesaba por las razones que justifican el desfase de plazas ofertadas en las universidades españolas dentro del distrito compartido", con especial referencia a las de Madrid y Cataluña[187]. El enlace con la cuestión anterior era fácil. "Lo que es demagogia es ampararse en un órgano consultivo para eludir las responsabilidades de decisiones. No sé si usted distingue entre un órgano ejecutivo y un órgano consultivo". Los datos revelaban que el supuesto 10 % de plazas en oferta oscilaba en las universidades madrileñas entre un 5'8 y un 7 %, y en las catalanas entre un 6'2 y un 7'6 %.

Para el Secretario de Estado, "los resultados de haber pasado del 5 a 10 por ciento este año han sido satisfactorios; ha sido el primer paso, junto con los distritos únicos de algunas comunidades autónomas, para llegar al distrito único en lo que es el territorio de España y, obviamente, deberemos tender al distrito único europeo".

La quinta y última preguntaba sobre los "porcentajes con que piensa el gobierno ir ampliando el distrito compartido en cada uno de los próximos cinco años"[188]. "Está usted empeñado en no contestar a lo que se le pregunta. Ni me ha contestado por qué hay un tope de 20, y tiempo ha tenido de sobra para hacerlo, ni ahora me contesta por qué determinadas universidades acaban dando menos plazas de las que ofertan". "Ahora le pregunto qué medidas piensa adoptar el Gobierno —el Gobierno, no el Consejo de Universidades— para evitar la proliferación de los llamados distritos únicos o la tolerancia hacia presuntos distritos blindados, fomentando el cantonalismo universitario". Estando ya en vigor el programa Erasmus, "si usted aspira al distrito único europeo, pues vamos a empezar a no discriminar a los españoles respecto a los europeos, ya sería un buen comienzo".

En cuanto a los distritos blindados, su antecesor "dijo que el blindaje existe en determinados centros de las universidades de Madrid

---

187 *Ibidem*, págs. 18186–18167.
188 *Ibidem*, págs. 18167–18169.

y de Barcelona en algunas enseñanzas". Para Balta, "tiene origen en el intento de frenar una excesiva afluencia de estudiantes a las universidades de Madrid y Barcelona, pero eso data del año 1983, y era en unos momentos en los que la escasez de oferta en determinadas titulaciones hacía que éstas se concentraran" allí exclusivamente. "Esta limitación transitoria ha perdido parte de su razón y, por tanto (y también le contesto, para que no me diga que no lo hago), el Gobierno está estudiando una modificación" de un Real Decreto de 1964.

16. POR FIN EL MINISTRO SE DEJA VER

Los diálogos con el ministro Saavedra, salvo la comparecencia en Comisión sobre becas, a la que más abajo me referiré, tuvieron lugar gracias a preguntas orales formuladas ante el Pleno, en las que le resultaba tan fácil escabullirse. La primera de ellas[189] se refería a dificultades surgidas por licenciados en derecho españoles, en algún *Land* alemán, al no reconocerse su titulación por presuntos déficits formativos. Fue un viso y no visto. La única reacción había surgido en el ámbito de la abogacía, ante la pasividad del ministerio responsable de lo universitario.

Comenté: "han estado incitando a las facultades de derecho españolas" "a que las carreras fueran de cuatro años, y ahora el presidente del Consejo de Universidades dice que hay que ampliar la carrera para darle mayor formación práctica. Ustedes han creado la figura del profesor asociado y han llenado las facultades de Derecho de jueces, magistrados, fiscales y abogados y ahora, dicen que no hay formación práctica". Saavedra se limitó a leer trabajosamente unos folios y a informar sobre una asamblea general del Colegio de Abogados. De una reunión de la Comisaria europea con el ministerio de Justicia "saldrán las conclusiones que todavía no han llegado a mi mano"...

La siguiente pregunta, dos semanas después en el mismo escenario[190], requería información sobre "cuántos títulos de formación profesional, cuya publicación, según el plan de formación profesional de 1992 debía realizarse en julio de 1993, están todavía pendientes". El ministro, con el mismo tono conceptista, negó "que el catálogo de los nuevos títulos profesionales" "tuviera que estar finalizado en julio de 1993, sino que el plazo estimado para la elaboración de dicho catálogo era de dos años". Calificó de "indudable

---

189 Congreso de los Diputados. V Legislatura. Pleno. Núm. 182. Sesión núm. 180. Miércoles 8 de noviembre de 1995, págs. 9691–9692.

190 Congreso de los Diputados. V Legislatura. Pleno. Núm. 184. Sesión núm. 182. Miércoles 22 de noviembre de 1995, págs. 9796–9797.

que el plazo que inicialmente nos habíamos fijado ha resultado claramente insuficiente"; afirmando que "se cubre ya prácticamente el 85 por ciento de la oferta prevista, comprendiendo en este bloque las familias de mayor demanda".

La tercera, un mes después, interrogaba las "razones han llevado al gobierno a no retirar de la cámara el proyecto de ley de modificación de la Ley de Reforma Universitaria"[191]. El ministro reconoció que era "la situación de pérdida de la mayoría parlamentaria por parte del Gobierno" la que había inclinado a "no producir una aceleración de su tramitación". Repliqué: "¿Qué espera usted para poder retirar un proyecto? Hay un artículo en el Reglamento que lo hace posible para situaciones como la que usted ha descrito". Lo que pasa es que "ha demostrado cumplidamente que no sabe qué hacer con la LRU".

---

[191] Congreso de los Diputados. V Legislatura. Pleno. Núm. 193. Sesión núm. 191. Miércoles 20 de diciembre de 1995, págs. 10203–10204.

17. TURNO FINAL SOBRE EL CONSEJO DE UNIVERSIDADES

Dada la continua referencia al Consejo de Universidades, a nadie podrá extrañar que esta etapa se cerrase con una comparecencia en Comisión[192] de su secretario general, Michavila Pitarch, a petición del grupo parlamentario popular, para hablar de todo lo habido y por haber. Se había documentado sobre las peripecias parlamentarias de sus antecesores y procuró abundar informativamente y no provocar rifirrafes.

Fueron saliendo a relucir cuestiones ya tópicas, como "si cabe mantener la situación actual de financiación de hacer planes e innovaciones a coste cero". En cuanto a la "reforma de los órganos de gobierno universitario. Se ha llegado a decir aquí por dos ministros que era de gran interés, pero ninguno de ellos ha hecho nada sobre el particular". No faltó la alusión a "las geniales actas del Consejo de Universidades". "No sé si la finalidad de las actas es que no nos enteremos de qué pasa allí. Si lo es, desde luego se está consiguiendo con gran eficacia". Aludió a que las "actas, como instrumento de trabajo dentro del Consejo, van acompañadas de una información muy voluminosa" y añadió que "soy sensible a eso y que una de las primeras cosas que pensaba que había que hacer era unas actas con mayor detalle, en particular en la contestación a las preguntas formuladas".

Apunté que, sobre la endogamia "no hay datos recientes". "En los últimos que hubo, hace años, se hablaba de cuántos firmantes había en cada uno de los concursos y si pertenecían o no a la universidad que convocaba la plaza, pero no se decía cuántos se presentaban, que es lo auténticamente relevante a efectos de endogamia. Podían haber firmado catorce, pero si luego se presenta uno…"

---

192 Congreso de los Diputados. V Legislatura. Comisiones núm. 644. Educación y Cultura. Sesión núm. 53. Martes, 19 de diciembre de 1995, págs. 19486–19497.

Michavila reconoció que la obligación de fijar los módulos objetivos de capacidad de los centros "hasta el momento actual no se ha cumplido". Lo achacó a la complejidad del problema. "No me diga que es complejo saber cuántos alumnos caben en un aula. Yo estoy de acuerdo en que el módulo debe ser algo más que lo meramente físico, pero en trece años no se ha llegado a lo meramente físico. ¿Por qué? Porque no se ha querido, porque no ha habido voluntad política, y de ello ha sido cómplice el Consejo de Universidades, ya que, si se cuentan las plazas, algo tan elemental como eso, sale a la luz cuántos alumnos hay sin plaza, y no se quiere".

Si el sistema no funciona, "se debe, entre otras cosas, a algo a lo que usted no ha aludido, como es al tope de 20 por titulación, que no se tiene en pie. Si ustedes dicen que van a ofertar un 10 por ciento de las plazas, no pueden ponerle un tope". "Ustedes hablan de crear un espacio europeo de la educación superior en un momento en que impiden que un alumno de Castilla–La Mancha estudie en Madrid".

Michavila resaltó que el Consejo tenía competencias sobre lo relativo a la evaluación de la investigación, por lo que hube de advertirle: "sepan que se utiliza el Consejo de Universidades indebidamente como coartada por parte de un departamento de la Administración que practica el secretismo a ultranza por razones que ellos saben".

18. UNA PREOCUPACIÓN CONSTANTE: LAS BECAS

Aparte de las periódicas referencias al problema en las sucesivas comparecencias preparatorias de las leyes de presupuestos, he preferido concentrar lo relativo a las becas, ya que condicionan —desde los tres años de edad hasta el arranque del ejercicio profesional, con el acceso al mercado laboral— la biografía de un gran número de ciudadanos. No me faltaba experiencia al respecto, ya que —segundo de nueve hermanos— hube de contar con ellas, sin perjuicio de la ayuda secundaria de la aplicación de las matrículas de honor que fueran cayendo.

Ya a finales de 1993 le tocó al Secretario de Estado de Educación —como "sobresaliente de espada" del ministro— abordar una serie de preguntas orales en Comisión[193] sobre el particular. La primera de ellas[194] se interesaba por el número de "alumnos que han cobrado sus becas en los plazos previstos por el gobierno, desde el mes de octubre de 1992". Recurriendo a la historia, recordé que el ministro Solana afirmó "un día en esta misma Cámara que los plazos para cobrar las becas son: en octubre para los que las han pedido en junio y en febrero para los que las han pedido en septiembre"; sin embargo, "El 15 de noviembre del año pasado, bien superado por tanto el mes de octubre, no había cobrado su beca ni un solo alumno".

Analizando los tres últimos años, solo casi "la mitad de los becarios que habían cobrado en el año 1988 es la que cobra en 1992–1993 a 15 de diciembre, tal fecha como mañana, acabando ya el primer trimestre de todo un curso, y ellos necesitan esos recursos económicos para poder estudiar. Solamente el 11 por ciento de los becarios había cobrado el año pasado a estas alturas".

---

193 Congreso de los Diputados. V Legislatura. Comisiones núm. 89. Educación y Cultura. Sesión núm. 7. Martes, 14 de diciembre de 1993.

194 *Ibidem*, págs. 2807–2809.

"Sólo menos de la tercera parte, el 31 por ciento de los becarios españoles habían cobrado su beca en el curso 1992–1993, bien comenzado ya el segundo trimestre del año". El "curso pasado a 15 de marzo quedaban todavía por cobrar su beca 256.625 becarios nada menos, lo cual suponía un 36 por ciento". "Lo curioso es que, a 15 de mayo, ya con el curso casi acabado, la situación el año pasado era idéntica, mientras que el año anterior habían cobrado un 91 por ciento". "Hay que esperar —en el curso que ha terminado este año, 1992–1993— al 15 de agosto para tener por fin todas las becas adjudicadas".

Marchesi señaló que "la tramitación de las solicitudes de becas es compleja. A finales de octubre, por citar un dato, el número de becas solicitadas ascendía a cerca de 600.000". En cuanto a "plazos previstos por el Gobierno son los que están establecidos por la Ley de régimen jurídico de las Administraciones públicas y del procedimiento administrativo común para la resolución de todos los procedimientos administrativos, que se han recogido en la vigente convocatoria de becas, que es de seis meses". Resalté tal imperativo legal "está pensado no precisamente para los ciudadanos con menos recursos económicos del país, sino para un señor que a lo mejor está pidiendo una licencia para construirse un chalet de 18 cuartos de baño".

Situándonos en este año —resumí— "ni siquiera la quinta parte de los becarios ha cobrado todavía y ni siquiera la mitad de los que aprobaron en junio han cobrado todavía"; "nadie de los de junio va a cobrar después de enero, y nadie de los de septiembre, como consecuencia, va a cobrar después de marzo. Ya lo veremos". No es extraño que estén "recurriendo al Defensor del Pueblo masivamente".

La segunda pregunta[195] recababa las "medidas adoptadas en los tres últimos años para agilizar el cobro de becas". Sugerí que habría que aspirar a "que el cien por cien de los becarios que solicitan su

---

195 *Ibidem*, págs. 2809–2810.

beca en junio la hayan cobrado realmente cuando termine enero, cosa que no ha ocurrido jamás".

Recordé que hemos "sugerido ya en situaciones anteriores una fórmula": que, transcurridos esos seis meses, todo aquel solicitante de beca al que no se le haya contestado porque el proceso administrativo sigue dando vueltas a los papeles, se le paga su beca y, si luego no tiene derecho a ella, la devuelve". En caso contrario, usted "lo que le está diciendo, a un ciudadano que está siendo penalizado por su situación económica y que ha presentado sus papeles en regla y que es becario ya, es: Lo siento, no le pago porque no me fío de usted, porque usted a lo mejor me está engañando, y hace falta todo un proceso que usted no sabe lo complicado que es".

Pérez Rubalcaba había dicho entonces que se iba a estudiar. También ahora se nos insiste en que es una propuesta que "lógicamente estudiaremos". Marchesi volvió, no obstante, a aludir al "largo y laborioso proceso, donde están implicados servicios e instituciones y organismos que no son exclusivamente el Ministerio" y aludió a algunas medidas informáticas aplicadas al proceso.

La tercera y última pregunta aspiraba a conocer las "causas a que atribuye el gobierno las diferencias entre el número de becas presupuestadas en los años 1988 a 1993 y las efectivamente concedidas"[196]. Inicié mostrando mi sorpresa, porque en una sociedad "que tiene una aguda conciencia hacia la desigualdad —gracias a la cual ustedes llevan gobernando una temporada, porque hay quien piensa todavía que ustedes están contra la desigualdad—, resulta que sobran becas". Aventuré, "a lo mejor es simplemente que ustedes están exigiendo unos requisitos para poder tener una beca que son absolutamente irracionales y buena parte de los que ustedes mismos consideraban que en teoría debían tener beca, nada menos que un 23 por ciento, acaban por no poderla tener".

---

196 *Ibidem*, págs. 2810–2013.

Marchesi argumentó que podría haber un desfase en los datos, porque se presupuesta para un año, pero se conceden las becas por curso. No me convenció: "ustedes, los presupuestos para 1994, ¿cuándo los han hecho? En mayo de 1993. Por tanto, están pensando en el curso 93–94, inevitablemente. Porque, además, como da la casualidad de que ustedes pagan las becas en 1994, como estamos viendo", no acababa yo de entender el problema. Por otra parte, "su colega el Consejero de Educación de Andalucía del Partido Socialista Obrero Español sale parlamentando con los estudiantes y diciéndoles, a modo de arreglar el problema, que va a dar más becas de las que da usted". "Están corrigiendo sus topes. No es un problema de fracaso escolar; es un problema de que sus topes son unos topes mezquinos, por lo menos para el Consejero de Educación de la Junta de Andalucía; por lo menos cuando los estudiantes se echan a la calle".

Otro aspecto condicionador de la gratuidad de la enseñanza básica venía motivado por los gastos en libros de texto. Las ayudas al respecto, de unas 15.000 pesetas, se pretendían sustituir ya con bibliotecas en los centros, con problemática acceso para los alumnos. Esto daría pie a una pregunta oral en Pleno[197] al todavía ministro Suárez Pertierra, que no disimuló su idea de, más bien "incidir en la política de becas". Le recordé que en "los presupuestos constan 14.000 pesetas en enseñanza media y no figura ninguna cifra en primaria y secundaria". Contestó que crédito en los presupuestos en vigor había incrementado en un 17% al anterior y que está previsto que "los libros de texto permanezcan cuatro años sin variación, salvo petición del Consejo Escolar, que se verá en cada caso".

El siguiente tratamiento monográfico de la cuestión estaría ya protagonizado por el ministro Saavedra, en comparecencia en Comisión[198], a petición del grupo parlamentario popular, "sobre medi-

---

197 Congreso de los Diputados. V Legislatura. Pleno. Núm. 93. Sesión núm. 92. Miércoles 28 de septiembre de 1994, págs. 4785–4786.

198 Congreso de los Diputados. V Legislatura. Comisiones núm. 596. Educación y Cultura. Sesión núm. 49. Jueves, 19 de octubre de 1995, págs. 18154–18160.

das a adoptar para que la tardía fecha de cobro de las becas por gran parte de sus beneficiarios no obstaculice el logro de los objetivos que las justifican".

La intervención de Saavedra me llevó a pensar que las insistencias anteriores no habían caído en saco roto. Dejó caer "la exención del pago de las tasas académicas en el caso de estudios universitarios, ya que al presentar la solicitud de beca todos los solicitantes pueden realizar la matrícula sin el previo pago de los precios por servicios académicos, que sólo tendrían que abonar en el caso de que, a la resolución de su expediente, su beca sea denegada". Igualmente, los presupuestos de 1996 contemplaban que "los pagos de las becas se efectúen por el procedimiento de *a justificar*, tratando así de anticipar la percepción de las becas por parte de los alumnos beneficiarios de las mismas, ya que dicho procedimiento permitirá una mayor agilidad en los pagos, adelantándose estos en unos dos meses aproximadamente". Anunció, incluso, un real decreto "para que el importe de las becas y ayudas figure en la cuenta del beneficiario en un plazo precursivo".

Me alegró también que se asumiera la renovación por ciclos educativos, porque, "si ustedes leen los Diarios de Sesiones de esta Comisión verán que fue el Grupo Popular el que lo propuso"; pero tuve que apuntar: "de qué sirve que haya renovación de becas por ciclos si el primer libramiento, o sea entrega de dinero por parte del Tesoro al Ministerio de Educación y Ciencia, se produce el 22 de noviembre?". Se "le ha evitado tener que presentar papeles, se le ha permitido renovar por ciclos, y a partir de ese momento se le ha dado una silla para que espere sentado a que se produzca el primer libramiento". "El Defensor del Pueblo, mientras, en su último informe, dice que en la actualidad todavía sucede que transcurran cuatro o más meses desde que es notificada la concesión de la beca hasta que ésta esté ingresada en su cuenta corriente". Me preocupaba que están "aplicando la filosofía de que aquí la gente no necesita las becas, prueba de ello es que las cobran en julio y no pasa nada". Añadí que en los presupuestos de 1996 queda de relieve que "mientras que en los anteriores el incremento de la cuantía fue del 5 por ciento, en éstos es del 1,5", con "una inflación del 3'5".

En todo caso la batalla sigue sin culminar. Un experto me informa de que —cuando esto escribo— las becas que serían necesarias en septiembre u octubre, no se cobran hasta abril, Para ir al cine…

Capítulo IV
EL AGOTAMIENTO DE UNA ETAPA

Tras el agotamiento de la UCD, fruto del desgaste de la figura de Adolfo Suárez, confirmada en su posterior intento de resurrección en el CDS, de la centrifugación de las piezas de un partido que no pasó de ser una coalición coyuntural, de errores gratuitos como el contradictorio referéndum de autonomía andaluza y de una creciente presión en el ámbito militar, la promesa de *cambio* de un líder juvenil como Felipe González, blasonando de cien años de honradez, acabó dando paso a una alternancia, lógica por demás en cualquier sistema democrático.

Lo que resultó menos previsible es que llegara a duplicar el anterior periodo de siete años, enlazando hasta cuatro legislaturas. Aparte del desgaste normal en las tareas de gobierno se fueron acumulando problemas adicionales. Los primeros brotes de corrupción, iniciados con el caso Juan Guerra, cobraron mayor espectacularidad con el de Roldán, dada su ubicación en el seno del gobierno. La constante erosión del azote terrorista y el recurso a fórmulas fuera de la ley en el intento de ponerle freno dejó también su huella.

El propio contenido del cambio anunciado, puesto ya de relieve en el modo desenfadado —por decir algo— de disponer del dinero público, encontró en la Expo temprano ejemplo. La entrada en juego de aventuras empresariales vinculadas al partido gubernamental no mejoró el cuadro. La progresiva colonización de la Administración contó con un llamativo adelanto de la jubilación de funcionarios, para dar entrada a nuevas cohortes; bien pronto rectificado, tras eliminar a no pocas.

Especialmente notable fue su incidencia en el ámbito educativo, con la extinción del prestigioso cuerpo de catedráticos de bachillerato, las idas y venidas para hacerse con la Inspección, la puesta en marcha de un nuevo sistema educativo con la LOGSE, implantada precipitadamente y bien pronto falta de la adecuada financiación. La escasa afición a los principios de mérito y capacidad, generando en la universidad el novedoso problema de un acceso endogámico del profesorado, evitando todo asomo de competencia.

A ello hay que añadir los primeros escarceos para colonizar el Poder Judicial —tras haber defendido durante años un autogobierno judicial— haciendo propia una enmienda minoritaria, para provocar una sobrerrepresentación de la asociación ideológicamente afín. De ahí derivó una modificación de la interpretación hasta entonces vigente de la Constitución sobre la elección de vocales del Consejo General. Aspecto este que —anecdóticamente— había provocado mi defensa de una proposición de ley en una de mis primeras intervenciones ante el Pleno del Congreso y del que tuve ocasión de ocuparme de modo más directo en legislatura posteriores. Por si fuera poco, se pretende trasplantar a este ámbito lo ya experimentado en el universitario, eliminando en él todo asomo de mérito y capacidad.

Todo ello cobraba al final de los 90, a mi juicio, una sensación de agotamiento de un programa de gobierno, que en su día había ilusionado y hacía ya presagiar un descalabro electoral. No es difícil encontrar en esa legislatura de 1993 un paralelismo, salvando indudables distancias, con la actual, heredera de un golpe de Estado en trance de amnistía. Puede que la actual resulte más llamativa, por una notable degradación de la clase política y todo lo con ella, directa o indirectamente, relacionado.

En todo caso, todo lo anteriormente expuesto, brinda noticia del tozudo trabajo exigido por las tareas de la oposición parlamentaria, que exige una notable machaconería, insistiendo en los temas, para lograr superar los intentos de omisión y opacidad, a cambio de acabar consiguiendo algún avance positivo.

Inteligencia jurídica
en expansión

Trabajamos para
mejorar el día a día
del operador jurídico

Adéntrese en el universo
de soluciones jurídicas

atencionalcliente@tirantonline.com

prime.tirant.com/es/